1,200'.

BOO ' OA

Fernando Fernán-Gómez
El ascensor de los borrachos

Esta novela obtuvo el Premio Espasa- Humor 1993, concedido por el siguiente jurado: José Luis Alonso de Santos, Víctor García de la Concha, Javier de Juan, Carmen Posadas y Alfonso Ussía.

Fernando Fernán-Gómez
El ascensor de los borrachos

ESPASA-HUMOR

Director Editorial: Javier de Juan
Director Literario: Manuel Rodríguez Rivero
Editora: Constanza Aguilera
Diseño: Teresa Herraiz
Ilustraciones: Ramón González-Teja

© Fernando Fernán-Gómez, 1993
© De esta edición: Espasa Calpe, S. A., Madrid, 1993

Depósito legal: M. 19.667-1993
ISBN 84-239-8608-X

Impreso en España / Printed in Spain
Impresión: UNIGRAF, S. L.

Editorial Espasa Calpe, S. A.
Carretera de Irún, km. 12,200. 28049 Madrid

Mi amigo puede tener buen humor
o mal humor, sin dejar de ser mi
amigo.
                    TEOFRASTO, *Caracteres.*

A LA MEMORIA
de Enrique Jardiel Poncela, que
vivió y murió sin comprenderse.

                            F. F. G.

1

En este capítulo un marqués, especie distinta
—como toda la nobleza— al resto de las personas,
habla con un ser de especie muy distinta a la suya.

—**H**e tardado muchísimo tiempo en darme cuenta de lo que hicieron conmigo. Y al decir muchísimo tiempo, no exagero lo más mínimo. He tardado muchísimos años, aunque ahora al pensarlo lo considere inverosímil. En este momento me parece imposible que haya tardado tanto tiempo en enterarme, en comprenderlo. Me he enterado en mi ancianidad, ayer por la noche, y me lo hicieron en mi juventud, en lo que se ha dado en llamar los mejores años de la vida. Ahora que puedo hacer balance, compruebo que aquél fue el acontecimiento más importante, el más trascendente, de mi existencia, y sin embargo yo no lo he percibido hasta ahora, cuando ya es irreversible, irremediable, cuando ya no puedo hacer nada por evitarlo o corregirlo, porque se ha convertido en un simple recuerdo. Y aunque los recuerdos pueden transformarse en olvidos, casi siempre contra nuestra voluntad, el hecho de olvidar los sucesos no los modifica. Nosotros, los hombres, tenemos alguna influencia —dicen bastantes pensadores y científicos que muy poca— sobre el presente, y ninguna sobre el pretérito. En cuanto al otro tiempo de verbo que hemos inventado, el futuro, hay hombres aquejados de soberbia o más modestamente de vanidad, que creen que depende de ellos, como si tuvieran poderes semejantes a los de los dioses, pero yo me inclino más a pensar lo que ya otros pensaron, que con el futuro poco se puede hacer, puesto que en la realidad, en lo tangible, no existe. Pero de cualquier modo, reconozco que todo esto no es más que hablar por hablar, porque después de la

9

angustiosa noche que he pasado, es natural que quiera desahogarme, ya que este tema del futuro no guarda ninguna relación con lo que ahora te iba diciendo, la doble sorpresa que me he llevado al comprender lo que hicieron conmigo (primera parte de la sorpresa), y la gran cantidad de tiempo que he tardado en comprenderlo (segunda parte). Ahora, cuando despiertan mis recuerdos estas conversaciones contigo y el terrible suceso de ayer, me parecen imposibles mi torpeza, mi ignorancia, mi ceguera. Debo confesarte, y tenemos ya confianza para que lo haga, que nunca tuve entre mis relaciones fama de hombre inteligente, más bien lo contrario —de esas opiniones siempre acaba uno por enterarse—, aunque entre mis amistades no abundan los cerebros privilegiados. Y el retraso en percibir lo que hicieron conmigo corrobora el criterio de los que pensaban que yo era casi un estúpido, aunque no me faltara cierto barniz cultural, unos conocimientos variados (he viajado bastante y hablo cuatro idiomas), y por mi posición social consiguiera brillar en sociedad. Esta preocupación por el tiempo que tardé en advertir el fenómeno del que te hablo debe de parecerte a ti un tanto inútil, insignificante, puesto que tú no tienes la más mínima idea —afortunadamente para ti— de lo que los hombres llamamos tiempo. ¿Qué más da que tardase poco o mucho en enterarse de lo que le hicieron, en entenderlo?, te estarás preguntando tú. Pero aunque nosotros, los hombres, tampoco tengamos claro lo que es el tiempo, lo cierto es que somos esclavos de él en casi todos nuestros actos. Y no sé por qué he dicho «casi». Fíjate, hay quien dice que no existe, que no existe el tiempo; otros, que es sólo una idea en la mente del hombre; otros —los que creen en un Dios personal, a imagen y semejanza de los hombres—, que es una idea en la mente de Dios; otros, que es una simple operación matemática que puede ser modificada en el futuro, o suprimida, por otra operación. Y sin embargo, todos vivimos pendientes del tiempo; en los actos más trascendentes o en los más nimios: los años que empleamos en estudiar una carrera o los minutos que debe hervir una salsa. Incluso las leyes castigan al que no esté pendiente de él, tanto en el cuartel, como en la escuela, en la fábrica o en la oficina. Quince minutos de cuidadosos masajes deben preceder a la penetración sexual, leí en un libro científico. Y si no tienes en cuenta el tiempo en las primeras citas amorosas, es muy posible que te quedes sin compañera para toda la vida. Vosotros no tenéis este problema, claro; vosotros os regís por el «aquí te pillo aquí te mato». Esto no quiere decir que te envidie, Dumbo. Estoy convencido de que mi vida, a pesar de tu fuerza y de tu aparente libertad, ha sido más gozosa que la tuya. Aunque he sufrido lo mío, como cualquier hijo de vecino. Creo que me he excedido al mencionar tu aparente libertad. Quizás otros de tu especie hayan conocido la poética libertad de la jungla, pero a ti te cazaron muy pronto. Y aunque en los parques zoológicos modernos hayas tenido comodidades y alimento asegurado, la libertad no ha sido para ti ni siquiera un concepto, como para nosotros, los humanos. Es posible que ahora, esta última temporada, sea cuando más libertad estés disfrutando. Al fin y al cabo tú te has librado de trabajar en los circos. A mí, incluso cuando era niño, siempre me pareció ridículo lo que en las pistas hacían tus congéneres. Les resultaba difícil y no quedaba bonito. No, no... Ridículo, ridículo es lo que quedaba. Los domesticaban como a los hombres de las clases bajas: amenazándolos con quitarles el alimento; pero, a pesar de todo, algunos hombres de las clases bajas hacen cosas útiles, mientras que los elefantes de los circos no hacen más que el ridículo.

Barritó el elefante.

—¿Qué quieres decir? ¿Que hay elefantes que no se dejan domesticar? Sí, claro, ya lo sé. Los africanos, los de las enormes orejas. Pero tú no eres de ésos, tú eres indostánico. También entre nosotros, los hombres, hay algunos que no se dejan domesticar, pero acaban muy mal, porque los medios de domesticación en nuestras sociedades han sido siempre muy eficaces. En las cárceles hay, y los ha habido en todas las edades, hombres que se creen indómitos, pero que, en realidad, están más domesticados que los otros. Y a los patíbulos casi todos los rebeldes han llegado arrastrándose, dando pataletas y echando maldiciones y con los ojos desorbitados de terror y suplicando a todos los poderes de la tierra y del cielo que les perdonasen el no haberse dejado domesticar. Yo no he sido de ésos, ya lo sabes. Yo, a pesar de mi fama de hombre de pocas luces, supe elegir la tranquilidad. O quizá la elegí por aquello tan terrible que me hicieron en la mejor edad de mi vida.

2

Desde que nace David, marqués de Trespasos, hasta muchos años después, con referencias a algunos acontecimientos internacionales. (En el capítulo hay también bodas, adulterios, muertes repentinas, una guerra civil.)

Aún no había llegado a su término la Primera Guerra Mundial (del siglo XX), cuando a Marimar, marquesa de Trespasos, le sobrevinieron los dolores del parto, lo que no sorprendió a los familiares ni al personal del palacio, pues la fecha se ajustaba a lo previsto. Rompió aguas en la noche de 14 de septiembre de 1917, y en la madrugada del 18, día de san Ferreol, bajo el signo de Virgo, vino al mundo, con toda normalidad, sin crear ningún problema, la criatura que pocos días después sería inscrita en el Registro Civil y en la parroquia de Veredilla como David Dionisio Alberto Ferreol Rodríguez de Honestrosa, Arcos de Castillo, Fuenteabierta y Núñez-Beardsley, hijo de Dionisio y de María del Mar.

De los años que sucedieron a este gozoso acontecimiento no guardaba el marqués de Trespasos sino recuerdos felices. Los juegos, los amiguitos, los cuidados de los servidores, los mimos de su mamá. Sus primeros años, los que el inevitable olvido infantil borró, transcurrieron apaciblemente en el caserón galdosiano de la calle de Santa Isabel, del que sus padres, los marqueses, habitaban la planta noble. La segunda estaba ocupada en su totalidad por los catorce criados que componían la servidumbre, y la última, no sin que los Trespasos manifestaran constantemente sus protestas, por un indescifrable conflicto de herencia pertenecía —¿injustamente?— a los condes de Valletorcaz, que disponían de ella con no demasiada frecuencia, pues preferían pasar el

13

tiempo en su cortijo de Huelva —para no ser tachados de absentistas— o entre París, Londres y Montecarlo, para gozar de la verdadera vida.

Los recuerdos felices de David, a los que me he referido antes, son los de su vida a partir de los cuatro o cinco años de edad, cuando sus padres pasaban la mayor parte del tiempo en el palacio de Trespasos, al pie de la sierra de Guadarrama, no muy lejos de El Escorial. Allí, un alegre día de primavera, nació su hermana Raimunda, dos años menor que él, cuando ya había concluido el terrible conflicto bélico que puso en conmoción al mundo entero, y estallado en el enorme imperio ruso la revolución obrera y campesina y estaba en plena efervescencia en aquellos ilimitados territorios la guerra civil. En esa época, feliz para Occidente, que inauguraba una nueva paz, desdichada para los rusos, que pretendían parir un mundo nuevo, parió a una niñita como las demás la marquesa de Trespasos. El pequeño montoncito de carne, tres kilos doscientos, con sus diez deditos perfectamente diseñados, recibió los nombres de Raimunda, María del Mar, María de las Angustias, María de los Dolores, María del Martirio Rodríguez de Honestrosa, Arcos de Castillo, Fuenteabierta y Núñez-Beardsley.

Los hermanitos David Dionisio Alberto Ferreol y Raimunda María del Mar Angustias Dolores y Martirio, conocidos familiarmente como David y Raimunda, tenían un hermano mayor y muy autoritario, que había nacido tres años antes que ellos, justo cuando acababa de estallar la Primera Guerra Mundial, y cuya inscripción en el Registro Civil y en la parroquia de Veredilla no menciono, porque la verdad es que tiene muy poca importancia en esta historia.

Casi no habían llegado al uso de razón David y Raimunda cuando el hermano mayor, Dionisio —como su padre, pero conocido en la familia y entre la servidumbre por el apodo de «Primero»—, se subió al tejado del palacio de Trespasos, apoyó el culo sobre las herrerianas y resbaladizas láminas de pizarra, mientras sus hermanos le gritaban desde abajo:

—¡No hagas eso, no hagas eso!
—¡Mamá te ha dicho que no lo hagas!
y, como si los otros estuvieran diciendo misa, él lo hizo. Se dejó deslizar hasta el borde del tejado, sin dar ninguna muestra de temor, como un verdadero héroe antiguo. Una vez allí, hizo una ágil maniobra para detenerse. Pero la maniobra le falló y el niño Dionisio cayó al vacío.

Como en aquellos lejanísimos tiempos —nos hallamos muy al comienzo de los años veinte— aún no se había divulgado el uso de la cámara lenta, para los dos hermanitos que presenciaban la fallida proeza, el hecho no duró más de dos o tres segundos. Sobre las piedras de la explanada que precedía al palacio de Trespasos se hallaba el cuerpo reventado de su hermano mayor. Tras un momento de silencioso espanto, los dos hermanitos se echaron a llorar. Corrieron hacia el portalón del palacio y prorrumpieron en gritos.

Llegaron inmediatamente muchos de los cuarenta criados —catorce eran sólo los del caserón de la calle de Santa Isabel—. También acudió la madre, María del Mar, desmelenada por el griterío, intuyendo algo trágico. No el padre, marqués de Trespasos, porque no se hallaba en el palacio, sino en Montecarlo, aunque no sólo jugando y perdiendo la fortuna dinástica a la ruleta, sino en adulterinos placeres que no eran ya muy secretos.

La tragedia intuida por la madre era, en efecto, una auténtica tragedia: irremediable. La vida del pequeño primogénito Dionisio «Primero» había partido hacia el desconocido mundo en que se hallaban las vidas de sus gloriosos antepasados, capaces de hazañas semejantes o mucho más valerosas y útiles para el monarca o el emperador que la suya.

David se convirtió en primogénito, en heredero.

* * *

En aquellos tiempos no estaba tan extendida como ahora, sobre todo en territorios periféricos como España, la costumbre del matrimonio y la

15

parejita; y al marqués de Trespasos no le parecía bien que su hijo David no tuviera un compañero varón para sus juegos y sus estudios, ni que su hija Raimunda no tuviera una compañera hembra. Como contra esta opinión no tenía nada que oponer la marquesa, se dejó embarazar de nuevo, y de resultas de un parto muy dificultoso —no sólo acudió el médico de Veredilla, término en el que estaba enclavado el palacio, sino el ginecólogo de la familia, que vivía en Madrid, y la comadrona de éste—, hubo que elegir entre la vida de la madre y la del hijo; se eligió la de la madre, aunque quedase imposibilitada para concebir de nuevo, y David siguió siendo el único hijo varón.

A partir de esta infausta fecha —se estaba ya en la plenitud de los gozosos años veinte, cuando el charlestón, el superrealismo, la Bauhaus, la creatividad exacerbada, las esperanzas de igualdad y libertad, el libertinaje al alcance de la mano de cualquiera, la falda corta, los cabellos cortos, las ideas amplias—, Raimunda y David se criaron y fueron educados sin ningún problema, como dos niños, luego como dos adolescentes, más tarde como dos jóvenes de la clase más privilegiada de la sociedad occidental.

Sobre esta sociedad, tanto la madre de David —Marimar para los íntimos—, como el padre, Dionisio, tenían una opinión muy clara, nada dudosa y totalmente inamovible: que era perfecta. No eran, ni el uno ni la otra, personas incultas y sabían que otras personas, inteligentes pero equivocadas —así se lo habían enseñado sus preceptores o sus maestros, en los colegios, en sus palacios o en los confesionarios—, no mantenían esas mismas opiniones. Pero contra esas personas había que luchar como fuera —sus antepasados, durante siglos, habían luchado con la fuerza de las armas—. Ahora eso no era necesario, porque muchos individuos de las clases medias habían decidido abrazar la carrera militar para defender los intereses de la nobleza —así como antaño los nobles defendían los del rey o el emperador—, y ellos,

los nobles, podían verse libres del trabajo de asesinar a los enemigos de la patria o del orden establecido.

Los enemigos del orden no eran gente débil, como pudiera parecer, a pesar de estar mal alimentados desde hacía siglos. Y alborotaban cada vez más en esos tiempos anteriores y posteriores a la Primera Guerra Mundial. Algunos intelectuales, herederos tardíos del romanticismo, también atizaban la hoguera de la rebeldía, se habían sumado a la corriente subversiva. Y, lo que más sorprendía a Marimar, marquesa de Trespasos, parecía que los primeros que prendieron este fuego eran hombres pertenecientes a la aristocracia: franceses, rusos, italianos... Esto no entraba en la cabeza de Marimar. ¿Un conde francés, un príncipe ruso, otro aristócrata del mismo imperio querían subvertir el orden?

De cualquier forma, no eran estas preocupaciones las que más llenaban el tiempo de los marqueses de Trespasos en aquellos felices veinte, mientras se iba formando, poco a poco, el carácter del joven David y también su intelecto. No precisaba una formación profesional, ya que viviría siempre de las rentas, aunque su padre, Dionisio, marqués de Trespasos, las fuese menguando pausadamente —como habían hecho uno o dos de sus antepasados— en constantes viajes a Montecarlo o en erróneas inversiones; y en vez de enviarle a cualquier instituto de enseñanza media, cada vez más poblados de hijos de menestrales, o a alguna universidad o escuela especial, donde, según les habían dicho, no había más que «trepas» obstinados en desclasarse, fue educado por preceptores: el de filosofía, historia y religión; el de matemáticas y ciencias y el de idiomas —inglés y francés eran suficientes, el latín corría a cargo del profesor de religión y el italiano se aprendía solo.

El profesor de religión, etcétera, era el padre Fuentes, S. J., y él mismo había recomendado a don Honorato Peñalver, preceptor de matemáticas y ciencias; en cuanto al de idiomas, Jean Picavia, nadie supo nunca muy bien de dónde había salido ni quién le había recomendado, aunque sí que fue aceptado

17

por ser nativo, mas nunca se supo si nativo de Inglaterra o de Francia. Cuando la cosa se puso un poco agria, a resultas de una discusión del joven David con su padre, una de las escasas noches en que éste cenó en el palacio, se descubrió que Jean Picavia era hijo de padre francés y madre escocesa, o viceversa.

De las varias materias que estos preceptores trataban de introducir en la mente del marquesito ninguna le interesaba de manera sobresaliente, a no ser algunos trozos de Historia, y convenció a sus padres de que durante unos pocos meses le pusieran un profesor de música y otro de pintura, que eran las materias que en realidad le divertían, ya que él tenía perfectamente asimilada la idea de que los individuos de su clase social, al tener brillantemente resueltas las cuestiones de la alimentación y la vivienda, lo que debían hacer era divertirse, procurando molestar a los demás lo menos posible. No como otros amigos de su mismo rango social que asumían la supuesta obligación de la nobleza de acrecentar más y más la riqueza recibida en herencia, aun en detrimento de las clases menesterosas.

* * *

A la edad en que los hijos de las clases medias andaban por los últimos cursos del bachillerato —estamos en los años treinta, cuando la Segunda República—, David Trespasos hablaba casi correctamente el inglés y el francés y de las demás materias lo ignoraba casi todo. Su madre, Marimar, y su padre, Dionisio, historiador, como todos los primogénitos de la familia, no habían errado mucho en sus sospechas respecto al preceptor de idiomas, pues, gracias a sus conversaciones al margen de las clases, David se había enterado de quiénes habían sido y cómo habían pensado el duque de Saint-Simon, el hijo de nobles terratenientes rusos Bakunin, el príncipe Koprotkine, el conde León Tolstoi, y cómo ellos, de sangre tan depurada y procedencia tan militar como la suya, se habían interesado apasionadamente por la injusticia que la sociedad moderna cometía con las clases bajas, en acusado contraste con el cristianismo, y se habían convertido en agitadores políticos en contra de la clase a la que él, David Trespasos, pertenecía.

¿Por qué —se preguntaba David en su efervescente adolescencia— no podía ser como aquellos cuyas vidas y hazañas le contaba entre paño y bola el preceptor de idiomas? La justicia parecía estar de aquella parte.

En pleno período de agitación prerrevolucionaria, tras las elecciones de febrero, ganadas por el Frente Popular, y de la casi pública conspiración monárquica, apoyada en el auge de los fascismos italiano, alemán y portugués, llegaron las vacaciones de junio, que en la casa se respetaban como si el joven David siguiera un curso de instituto o de universidad. El preceptor de idiomas —como los demás preceptores— se despidió hasta el otoño. David ignoraba en el momento de la despedida que no volvería a verle nunca más.

Aquellas vacaciones eran las vacaciones del 36, que no terminarían hasta tres años después y que, en muchos aspectos, y para muchas personas, aún no han terminado. Hay por ahí, perdidos por el mundo, hombres y mujeres españoles para los que han sido unas vacaciones infinitas, demasiado infinitas.

* * *

Amigos de la misma edad de David Trespasos, o de edades aproximadas, influenciados en muchos casos por sus hermanos mayores, le habían explicado también las teorías fascistas de Mussolini, derivadas en sus inicios de las del ácrata Sorel, pero muy transformadas después a favor de una aplastante prepotencia del Estado sobre el individuo, necesaria para el bien, el orden y el progreso de la nación. David llegó a saber lo que eran el sindicalismo nacionalista y el corporativismo. Y no le parecieron del todo mal. Comprendía que, según Papini, Italia estaba preparada para ser la cabeza de un futuro imperio europeo. Pero, si seguía pensando, le era difícil comprender por qué no podía serlo otro país de la misma zona.

Como había tenido preceptor de historia, sabía —por encima, sin profundizar— lo que era la Hansa y lo que había sido España. Y en aquel tiempo, aun con su escasez de conocimientos, estaba, si no apasionado, al menos interesado en aquellos problemas y entendía que era necesario contener la revolución iniciada en el siglo anterior y defender el orden existente, aunque fuera —como propugnaban Hitler y Mussolini— recurriendo a la violencia contra los obreros y sus agitadores.

Pero esto ¿no obligaba quizás a pensar lo contrario de lo que habían pensado Saint-Simon, Bakunin, Koprotkine, Tolstoi...? El preceptor de latín y de religión le había dicho en repetidas ocasiones que no era sorprendente que el hombre se viera asaltado por la duda. También lo fue Jesús cuando se hizo hombre.

De estas dudas intentó hacer partícipe David Trespasos a su novia, Eulalia Moranes, cuando los padres de ella los dejaban discretamente solos en el saloncito azul —como se le llamaba en la casa—, a la caída de la tarde. Pero el interés de ella por estos temas siempre le parecía fingido. Y no porque su inteligencia, aunque en apariencia escasa, no fuera capaz de abarcarlos, sino al contrario: porque daba la impresión de tenerlos superados y de que consideraba aquellas preocupaciones de David como restos de la mentalidad infantil.

Y sobrevino, no se puede decir que inesperadamente, la insurrección militar contrarrevolucionaria del 36 y, a consecuencia de ella, estalló la revolución obrera.

Empezaron a llegar rápidamente, por variados conductos, las trágicas noticias. Personas injusta, alevosamente asesinadas por los comunistas, los anarquistas, los jóvenes socialistas. Monjas, sacerdotes, ricos, comerciantes, patronos, marqueses, gente de orden, los que no pensaban como ellos, los que no aceptaban lo de la idea o lo del reparto o lo de la igualdad, en los pueblos, en los cortijos, en las ciudades. En su aldea, donde el hombre iba a veranear, habían dado el paseo a don Honorato, el preceptor de matemáticas, porque era de derechas y trabajaba para unos marqueses.

La mitad de la familia Trespasos murió fusilada. Desaparecieron el tío Enrique, el tío Basilio, el tío Rigoberto, los primos de Córdoba, Domingo, Antonio y Darío; Filiberto Alcañiz, el capataz de la finca de Trespasos, Lauro Fuendeolmo y Pérez, el administrador del palacio, y nunca se supo de sor María del Dulce Nombre, clarisa.

El problema ideológico del joven David Trespasos estaba resuelto. ¿Cómo había podido en algunos momentos verse asaltado por las dudas? Él era un noble, un aristócrata, y todos aquellos revolucionarios eran sus enemigos y enemigos de los suyos, de su familia y de sus antepasados. Los nobles y príncipes de que le había hablado pocos meses atrás el misterioso profesor de idiomas Jean Picavia eran víctimas del error, del error que el malo, el demonio, hacía víctimas particularmente a las personas de más despierta inteligencia.

La insurrección militar que debía durar, según los expertos salidos de las academias, dos o tres días, había hallado como réplica una revolución obrera y a los pocos días se convirtió por la turbia voluntad de no se sabe quién en una larguísima guerra.

Ya no se estaba en los viejos tiempos en que los aristócratas tenían como única misión participar en las batallas, sino en los modernos tiempos, en los que su misión era recoger pacíficamente los beneficios heredados de las tierras de sus antepasados guerreros. Ahora, Dionisio, marqués de Trespasos, y la marquesa, Marimar, al ver galopar desenfrenado al apocalíptico jinete de la guerra, se desvivieron por salvar a su hijo David de aquel terror. Removieron

Roma con Santiago para defenderle. Recurrieron a todas sus influencias, prescindiendo del amor propio, del orgullo, de los prejuicios, de la moral. El marquesito David estaba en edad militar, tenía novia, Eulalia Moranes, no aristócrata, pero de familia rica y de la buena sociedad. Era un muchacho relativamente culto, también es verdad que no muy aficionado a los deportes, no se podía decir de él que fuera un «distinguido *sportman*», como se decía del ex rey de España, Alfonso XIII, en las páginas de *Blanco y Negro*. Pero tenía una vida gozosa por delante. Una vida de placeres y quizás de servicio al prójimo. ¿Debería perderla en el fango de una trinchera?

David Rodríguez de Honestrosa hizo el servicio militar, recién estallada la guerra civil, en la zona nacional —puesto que estaba en la edad y le pilló el veraneo, como a muchas familias de la gente bien, en San Sebastián, y no en el palacio de Trespasos, que se hallaba en las estribaciones de la sierra de Guadarrama, en zona republicana—. Tras unas semanas en el Alto de los Leones, pronto se le encomendaron misiones especiales que le obligaron a estar alejado de la línea de fuego, y un año después, en el extranjero, unos cuantos meses en Lisboa y otros en Biarritz, hasta que el conflicto terminó.

Después, y en esto estaban de acuerdo su padre y su madre, los marqueses, no quiso seguir en el ejército, aunque pudo hacerlo con graduación de teniente, y pasó a la vida civil.

La familia se llevó un disgusto tremendo al ver el estado en que se encontraba el palacio de Trespasos en el que los rojos habían establecido un puesto de mando. Pero la mala impresión fue pasajera, pues aquellos guerreros revolucionarios, sin duda inducidos por algún intelectual de los que abundaban en la izquierda, no habían destruido muebles ni cuadros de valor, de los que, la verdad sea dicha, no abundaban en la mansión los de gran mérito artístico.

* * *

En el otoño de 1939, recién iniciada la Segunda Guerra Mundial, surgieron en Madrid las *boites,* aunque tal palabra francesa no apareciese en la portada de ninguna de las tres o cuatro que se abrieron, casi simultáneamente, pues las autoridades habían prohibido la utilización de vocablos extranjeros —excepto italianos y alemanes— en locales públicos; pero la gente bien, su clientela habitual, aunque en política internacional era mayoritariamente germanófila, en los usos y costumbres conservaba un punto de afrancesamiento, y *boites* llamaba a aquellos pequeños lugares de diversión, porque sabía que así se llamaban en Francia.

—¿Te vienes con nosotros a la «reboite»?

—He quedado con Mariló, Josecho y las Perales en la de Villalar.

Las más conocidas y frecuentadas —con el bar del Hotel Florida; aún no había cafeterías— eran la *boite* de Villalar, en dicha calle, y la *reboite,* que estaba en la calle de Prim, frente a la verja trasera del Ministerio del Ejército —hasta poco antes, Ministerio de la Guerra—. El nombre auténtico del establecimiento era *Larré,* de ahí lo de *la-rre-boite,* con el que la conocían los asiduos.

—Ayer no se te vio en Villalar.

—No lo digas, pero tuve un plan a base de bien en la *reboite.*

Eran locales pequeños, decorados muy sobriamente —el lujo decorativo aún no se había desmelenado, y escaseaba el dinero líquido— con grupos musicales de cuatro o cinco componentes —en la *reboite* actuaban los hermanos Barreto con el pianista Sergio Barba—, una pista reducida y un espacio algo más amplio para las consumiciones en mesa, tiempos del «gin-fizz» y de la media combinación. En estos locales, los tres o cuatro que podían enorgullecerse de ser *boites* como las de París, no había señoritas de alterne, que después de actuar en la pista, o sin necesidad de ello, se dejaran invitar por los clientes y se sentaran a sus mesas; eso se quedaba para los cabarets, que se acogían a la confusa denominación de «salas de fiesta». Quizás porque en 1940 se prohibió abrir en toda España nuevas salas de baile.

El público de las tardes constituía la base del negocio y era totalmente juvenil —algunos varones, muy pocos, lucían uniforme del ejército o de Falange—, pero no tenía el menor parecido con lo que puede ser un público juvenil de los noventa, ni de los ochenta o los setenta. Esta diferencia abismal obedece a unas razones históricas: faltaban aún dos guerras internacionales, la divulgación de la penicilina y de los anovulatorios, veinte años para la aparición del *rock-and-roll* y algunos más para que los hijos de los obreros, en países no desarrollados sino en vías de desarrollo, disfrutaran del dinero necesario para bailar por las tardes —o por las noches— en lugares céntricos, con chicas de su edad sin necesidad de que fueran prostitutas. Todavía veinte años después, en los sesenta, el cantor Serrat comentaba, acompañándose de la guitarra, que las chicas que él conocía debían estar en casa «antes de que den las diez».

Aquellos jóvenes de la posguerra, clientes de las *boites,* pertenecían todos a la clase media o a la alta. No solía haber entre ellos bohemios, escritores, poetas, músicos, pintores... o gente así. Acudían por las tardes en grupos, casi nunca mixtos —machos a unas mesas, hembras a otras—, o en parejas de novios.

Una de esas parejas era la de David Trespasos, un aristócrata recientemente desmovilizado, y su novia formal, Eulalia Moranes, muy lejanamente emparentada con la nobleza.

El *slow,* el *boogie-woogie,* el bolero, con algún vals y algún pasodoble eran las músicas que más parejas atraían a la pista, aparte de modas pasajeras, como pudo ser pocos años después la «raspa». Se bailaba «agarrado», tiernamente «agarrado», pero sin llegar al *cheek-to-cheek.*

La baja clase media, la clase obrera y la menesterosa, tenían como únicas diversiones el cine y el parchís. La alta clase media, la nobleza, los vencedores repentinamente encumbrados, sin desdeñar las películas ni el juego, disfrutaban los placeres de la convivencia y el lujo en cócteles, «copas de vino español» y cacerías.

* * *

Sobre una de las mesas del saloncito azul, dos docenas de rosas rojas de la casa Bourguignon, la que tenía fama antes de la guerra de ser la más elegante de Madrid.

Con manos firmes, sin el menor síntoma de nerviosidad, ni siquiera de emoción contenida, la joven —veinte años recién cumplidos— Eulalia Moranes abrió el sobrecito que venía con el ramo. En él había una tarjeta con el escudo de David, marqués de Trespasos —su padre le permitía utilizar el título—, y en ella una frase de amor que a Lali le pareció demasiado rutinaria, y después otra, que era la que ella esperaba encontrar: «Pregúntale a tu madre —era viuda de un caído por Dios y por España— qué día pueden ir mis padres a hablar con ella.»

Podía considerarse como la petición de mano oficial. Al fin David se atrevía a dar el paso definitivo.

Entre Eulalia y Angustias, la criada que desde tantísimos años servía en la casa —conocía a Lali desde que «la señorita vino al mundo por primera vez», solía decir para que no cupieran dudas— colocaron el ramo en un jarrón de cristal tallado, del que Augusta, la madre de Eulalia, quitó unas flores de primavera que ya llevaban demasiados días. Tres meses después tuvo lugar en los Jerónimos la boda, a la que asistió el «todo Madrid» de la posguerra, en el que faltaban muchísimas caras, pero en el que también abundaban las nuevas, que provenían de provincias de la zona nacional y se habían instalado en Madrid como vencedores al tiempo en que, cada cual en su profesión, daban grandes saltos en la carrera hacia el dinero y el poder.

El sitio en que debía celebrarse la despedida de soltero fue causa de un largo altercado entre los ocho o diez amigos íntimos de David Trespasos. No ofrecía el Madrid de entonces muchos locales adecuados, pero aun así había los suficientes para que las opiniones se dividieran. Unos se inclinaban hacia los ambientes plebeyos, que siempre han atraído a la aristocracia española, no se sabe si sinceramente o por creerse obligada a adoptar una postura que llamase la atención. Otros eran partidarios de cualquiera de los pocos locales con tradición que se conservaban, acordes con su clase social, como el restorán Lhardy. Al fin de la ya un poco agria y aún más alcohólica discusión se concretaron dos candidaturas: «El Ventorro de la Juliana», en la Dehesa de la Villa, donde durante el día se servían vinos, licores y comidas y había comedorcitos con pequeños reservados amueblados con sofás y camas turcas y durante la noche se reunían gitanos, putas, algún que otro cómico, futuros escritores y pintores gloriosos, policías y unos cuantos funcionarios de baja categoría, y cantaores, bailaoras y guitarristas flamencos a la espera de lo que se pescara. La otra candidatura era la de un denominado «club» recién inaugurado en el barrio más elegante de Madrid, el que se encuentra entre la parte trasera de los Jerónimos y la calle Alfonso XII, con sus casas señoriales en una acera y la verja del Retiro en la otra. Muchas y fuertes influencias debió de utilizar el matrimonio Mateos, Arsenio y Tomasa (Tomy para todo el mundo) para que les dejaran establecerse en aquel barrio. Casa Arsenio, la popular taberna de Burgos, había sido el origen de su rápida fortuna, hecha durante los tres años de la guerra civil, en los que la vulgar casa de comidas se acreditó como restorán de categoría y en la que tanto Arsenio, con escasísima cultura pero gran don de gentes, como su mujer, Tomy, muy atrayente en su madurez y siempre discretísima, además de excelente cocinera, se habían relacionado con lo más influyente de la Falange, el ejército y algunos periodistas y escritores que se convertirían, tras la derrota de los republicanos, en personajes de gran relevancia. Resultado de este acontecimiento histó-

26

rico fue la autorización para que en el último y pequeño solar que quedaba en el barrio de los Jerónimos, Arsenio Mateos fuese autorizado a levantar un edificio de pequeños apartamentos para alquilar, en cuya última planta, la octava, instaló un restorán con reducida orquesta y pista de baile. Aparte del amplio comedor principal, había otros dos comedores reservados para reuniones y un bar americano. En el comedor principal, desde amplísimos ventanales se divisaban las frondas del Retiro. En verano se abrían unos sectores del techo y el comedor casi se convertía en una terraza al aire libre. El local tenía autorización para permanecer abierto hasta las dos de la madrugada, y en los dos comedores reservados el horario era discrecional. Acudían al «Victoria Club» bastantes señoritas de vida libre, de las mejor elegidas de Madrid; de eso se encargaban Tomy y Alvarito, el *maitre,* que conocía bien el ambiente desde que antes de la guerra fue camarero del café Acuarium. Para poder entrar en el nuevo y lujoso establecimiento —el mismo lujo sobrio al que me he referido al explicar cómo eran las *boites*— era necesario ser socio del «Victoria Club», que con este nombre, muy adecuado a las circunstancias, fue bautizado el local. Y para ser socio del club no era necesario nada, simplemente pedirles a Arsenio o a Alvarito que te dieran una tarjeta, tarjeta cuya presentación nadie te exigía después. David Trespasos y sus amigos no eran asiduos del «Victoria Club», que no tenía un público tan juvenil. Pero a pesar de ello, para la circunstancia de la despedida de soltero, entre las dos candidaturas, la plebeya de «El Ventorro de la Juliana» y la noble del «Victoria Club», venció la segunda, aunque fuera más rancia la sangre del Ventorro. A este triunfo contribuyó mucho el apoyo de Medinilla, el más gracioso del grupo, hombre menudo, recortadito, de fino bigotillo —muy de moda en la época, imitado de los galanes de Hollywood y al que luego se dio en llamar «bigote fascista»—, ojos glaucos y saltones y voz un poco aflautada, que, a sus dotes naturales de bufón, unía la de improvisar rápidamente versos ramplones para cualquier circunstancia:

> —*Sin duda ha sido el demonio*
> *de otra cosa disfrazado*
> *quien tan mal ha aconsejado*
> *a nuestro querido Antonio.*
> *Mañana, dentro de un templo,*
> *su libertad va a perder*
> *a cambio de una mujer.*
> *Oíd: no sigáis su ejemplo.*
> *Amigos míos del corro,*
> *quiero que bien claro quede*
> *lo que digo: que no puede*
> *celebrarse en un ventorro*
> *una reunión tan fina,*
> *por ahorrar una peseta,*
> *porque ¿qué diría el poeta*
> *don Eduardo Marquina?*

Entre carcajadas, se aprobó la elección del «Victoria Club» como lugar más adecuado, y allí, con gran derroche de rioja, whisky, champán, cangrejos de río —especialidad del «Victoria Club»—, se celebró la fiesta hasta que el sol iluminó las frondas del Retiro. A la alegre y tumultuosa francachela, no es necesario decirlo, fueron invitadas todas las señoritas que en las mesas del comedor grande se hallaban libres.

David Trespasos se repuso pronto de los excesos de la juerga, asistió muy dignamente a la ceremonia nupcial, consumó el matrimonio y emprendió con su Eulalia el viaje de bodas, que en vez de a París, Niza, Florencia y Venecia, como habría sido el deseo de Eulalia y David, quedó reducido, por decisión del poderoso Marte, a Palma de Mallorca, Lisboa y Estoril. A la vuelta del viaje, Eulalia y su madre se instalaron en el palacio de Trespasos con David, su hermana Raimunda y sus padres, los marqueses.

* * *

Si se parte de Madrid y, de camino hacia El Escorial, recorridos unos cincuenta kilómetros, se tuerce a la derecha, por la carretera que lleva a Collado Villalba, adentrándose hacia el norte, puede divisarse, cuando el paisaje comienza a hacerse abrupto, ya en las estribaciones de la sierra, en un altozano, un edificio señero, de grandes dimensiones, que desentona un tanto con el entorno, y no es castillo, pues carece de defensas y que, en cambio, si se considera casa o casona de recreo o de labor, más parece palacio, pero si se intenta definir como tal, pronto se advierte que no llega a serlo, quizás porque a ello contribuye la paradójica amalgama de lujo y austeridad tan frecuente en estas ásperas tierras. Está situado altivamente, como dominando una finca en un tiempo extensísima a la que la mala administración de unos, la abulia de los señores, el exagerado hedonismo de algunos de ellos, las inquietudes políticas de otros, el afán negociante de éste o aquél, el espíritu aventurero de unos pocos, el natural apocado de los más, la avaricia de usureros y entidades bancarias y de crédito, los pleitos familiares de las herencias, y en otros tiempos la tan comentada rapacidad de los jesuitas, fueron menguando hasta dejarla reducida a unas cuantas hectáreas alrededor del edificio, precisamente las menos rentables como tierra de labor, por lo cual su explotación fue abandonada en tiempos de la Restauración, hace ya cuatro o cinco generaciones.

La traza del palacio —palacio al fin me atrevo a llamarlo, porque así lo llaman sus dueños, sus habitantes, la gente de los alrededores y los amigos de más o menos alcurnia, y con esta denominación consta en algunos libros y folletos—, es muy sobria, rectangular, de tres plantas, baja, noble y alta, poco adornada, toda la obra exterior de piedra de Colmenar. Cualquier aficionado a la Historia de la Arquitectura puede sorprenderse al saber que fue proyectado y construido bien avanzado el siglo XVIII, reinando en España el buen rey Carlos III y en plena influencia francesa, no sólo en cuanto a arquitectura, sino al gusto en general, como puede ocurrirnos hoy con Estados Unidos. Los franceses habían pasado ya del neoclasicismo al rococó y nuestros abuelos pasaron también, no faltaba más. Los que tenían algunas perras, porque los otros, los campesinos y los artesanos de pueblos y aldeas, según me hizo notar mi gran amigo y espléndido figurinista teatral y cinematográfico Javier Artiñano, permanecieron en la Edad Media hasta finales del siglo pasado, y en algunos casos y regiones hasta bien entrado éste. Pero esos «otros» no cuentan ni han contado nunca para la Historia del Arte o del Gusto. A lo que voy es a que, aunque la moda de la arquitectura en tiempos del buen rey Carlos III fuera francesa, el primer marqués de Trespasos creyó más coherente imitar la arquitectura herreriana del siglo XVI por hallarse no muy lejos —a «tres pasos» solía decirse, que venían a ser cuatro o cinco leguas—, el Monasterio de San Lorenzo de El Escorial.

Hay quien dice que a las casuchas que surgieron junto a la vereda que unía el Camino Real con el que trepa hasta Collado Villalba dio en llamárselas las casuchas de «Trespasos», y de ahí vino el nombre de la finca entera, y, por lo tanto, posteriormente el de los marqueses, el de su dinastía. Vaya usted a saber. Lo que sí parece mucho más cierto, porque así está fijado en documentos que se conservaron durante años en el Archivo de Indias y ahora se encuentran en el de Simancas, es que cuando en las lejanas tierras del Perú David Rodríguez y Azcarela, descendiente de familia de agricultores extremeños y asturianos, que allí, tras unos pocos años en la milicia, con el tiempo había conseguido amasar una gran fortuna por el procedimiento de abandonar el cultivo de la tierra a manos de los ignorantes indios y dedicarse, él y sus familiares y descendientes, a especular con sus productos, decidió ayudar a su Católica Majestad con la mitad de su caudalosa fortuna para contribuir a sofocar las revueltas que habían surgido no bien establecido el virreinato, y regresar a la madre patria con el resto, el rey, en pago a

30

tan patriótica conducta, decidió premiarle con un título nobiliario y lo hizo con el de marqués de Trespasos.

* * *

El pueblo en que se halla enclavado el palacio es Veredilla, y a cualquiera puede alcanzársele que así se llama por estar o haber estado en otro tiempo junto a una veredilla; y sin embargo tal conjetura no es cierta, pues no hay veredilla ni vereda que conduzca al pueblo, al que se llega solamente por una empinada trocha, que parte —o conduce, según se vaya o venga— del Camino Real. El pueblo se llama Veredilla porque es más pequeño y de menor importancia laboral, agrícola y comercial que otro cercano, que se llama Vereda, que ése sí estuvo años atrás al borde de una vereda de la que ya no quedan ni rastros, pues hace tiempo fue sustituida si no por una modernísima autopista, al menos por una carretera que se conserva en no muy mal estado.

Cuando en la soleada y apacible mañana de primavera, a la salida de una curva, apareció, rematando el altozano, la silueta no muy airosa, sino recia y serena, del palacio de Trespasos, Rosi Valles redujo la marcha de su coche, lo detuvo del todo y contempló durante unos instantes el edificio.

31

3

*David Trespasos ha llegado a la ancianidad; su fiel
criado Pepe ha fallecido y en el palacio hay problemas
de fontanería.*

La joven especialista en
«relaciones públicas» Rosi Valles había consultado cuidadosamente el plano que en la oficina le trazó Sebastián Mora, siempre tan obsequioso con ella, para que
no se extraviara en el recorrido hasta la zona de Trespasos, entre El Escorial y Collado Villalba. Estas
carreteras desde Madrid hasta la sierra parecen fáciles, pero no lo son tanto. Unas demasiado antiguas,
otras demasiado modernas, ocurre con ellas lo que
con la vida en general, que por esa misma razón de la
modernidad y la antigüedad, tan enlazadas, tan
superpuestas, tan sin morir la una y tan sin acabar de
desarrollarse la otra, el viajero, el trabajador, el amante pueden primero extraviarse y luego perecer en el
camino. O ya que no tanto como perecer, perder la
ruta y en el mejor de los casos tener que regresar al
punto de partida con las orejas gachas. Por ello, Rosi
Valles había seguido varias veces con su dedo índice
de bien cuidada y esmaltada uña, el itinerario que el
eficaz y laborioso Mora le había indicado el día anterior en la oficina de Gemsa. No era viernes, no era
sábado, no era domingo, no era lunes, no era hora
punta. Había muchas posibilidades de que no encontrara caravana, de que el tránsito a la salida de
Madrid fuera fluido, y Rosi Valles, vestida según las
órdenes de la moda, pero bien adaptadas a su cuerpo
y a su oficio, había sacado el coche del aparcamiento y
enfilado la carretera de La Coruña, tras poner un
casete de *rock* no muy *heavy*.

Tres cuartos de hora después tenía ante sus ojos
el palacio de Trespasos. No cabía duda, el plano del

eficiente Mora estaba muy bien trazado, ella lo había seguido con precisión y aquel era su destino. La carretera, a partir de ese punto, descendía y sin embargo el palacio se veía no muy lejos, pero en lo alto. ¿Habría algún error? No, no lo había. Recordó Rosi que al explicarle con detenimiento el recorrido, Mora le había dicho que antes de llegar al palacio debía atravesar una vaguada. Salió del coche y con unos gemelos de campo observó el paisaje en diversas direcciones. Lo que menos parecía llamar su atención era el palacio. Paseó su mirada por la vaguada que, efectivamente, estaba allí, a sus pies, a muy poca distancia de la carretera, y también oteó la zona que, en el otro lado, separaba la vaguada del palacio. Dejó los gemelos en el coche, sacó una cámara fotográfica y gastó un carrete entero en fotografiar el paraje a derecha, a izquierda, hacia el centro... Sólo un disparo, una diapositiva, dedicó al palacio. Después entró de nuevo en el coche y siguió su marcha. Lo primero que atrajo su atención al llegar fueron las bolas de piedra y las cadenas de hierro ecurialenses, único adorno de la amplia explanada que daba acceso al edificio.

No había visto un alma desde que tomó el camino de la vaguada ni al descender y remontar los lados de ésta, ni la veía ahora. Llamó con la aldaba en el gran portón de madera claveteada. Se le hicieron larguísimos los minutos que hubo de esperar hasta oír el ruido sordo de pasos sobre unas losas. El criado que abrió la puerta vestía chaleco de mañana de rayas negras y rojas, su edad pasaba de los setenta años, estaba pulcramente afeitado y su cabellera levemente ondulada era totalmente blanca; su rostro, afable y bondadoso:

—¿Es ésta la casa de los marqueses de Trespasos?
—Sí, señorita. ¿Está usted previamente citada para hoy?

Sonrió Rosi lo más encantadoramente que pudo.
—Creo que sí...

Extrajo de un pequeño sobre una tarjeta y se la entregó al criado, quien, sin ningún apresuramiento,

se colocó unas gafas de media luna y leyó con detenimiento lo escrito.

—Entre usted y venga por aquí. Sígame, por favor,
y tenga cuidado, que estas galerías tienen muy poca
luz. El señor está pintando y dispone de poco tiempo, usted debe comprenderlo. Vive aquí para no ser
molestado.

—Sí, eso lo sé.

—Procure no entretenerle demasiado.

Traspasó Rosi el umbral y se encontró en un por-
tal espacioso en cuyo fondo, y a través de una mam-
para encristalada, se entreveía un gran patio central;
a la derecha arrancaba una amplia escalera de bajos
peldaños y ancha huella. Pero no se dirigió hacia el
patio ni hacia la escalera el criado, sino a una puerta
que había al lado derecho y a partir de la cual reco-
rrieron galería tras galería, todas en penumbra y a
las que no llegaba ni el más leve ruido, y doblando
frecuentemente esquinas como si rodearan todo el
palacio. Aguzaba Rosi la vista, pero la luz era en
todas partes tan escasa, tan matizada por espesos
cortinones, que no acertaba a diferenciar un espacio
de otro. Le pareció en un momento, pero no podría
afirmarlo, pues a veces para seguir el paso del anciano criado tenía que palpar muebles y paredes, que
en vez de ir por una galería atravesaban un amplio
salón. Varios tresillos en diversos paños de pared o
ante lo que podían ser ventanales cubiertos por esto-
res, quizá un palco de música en lo alto de una
pared, una gran chimenea. Esa sombra que se divisaba en el centro de una estancia como a la altura de
la cintura de una persona podía ser una mesa grande. Al final de un pasillo se detuvo el criado frente a
una puerta, y tras lanzar a Rosi una mirada que significaba «ya hemos llegado», golpeó en ella discretamente con los nudillos.

—Pasa, Basilio.

No cabía la menor duda de que el que había
hablado desde el otro lado de la puerta sabía que no
podía ser sino el criado Basilio quien había osado
dar aquellos golpecitos.

Basilio abrió y cedió el paso a la joven. Como aún no había descabalgado los anteojos de su nariz, volvió a leer el nombre de la tarjeta.

—Señor marqués, esta señorita viene de parte de la marquesa de Casapiedra.

El marqués, pincel en mano, trabajaba en el lienzo que tenía en el caballete.

—Qué se le va a hacer; dile que pase.

—Pase usted, señorita —dijo el criado al tiempo que devolvía a Rosi el sobre con la tarjeta. Luego, cuando la joven hubo entrado, salió de la habitación y cerró la puerta.

Antes de acercarse al marqués, Rosi echó un discreto vistazo a la habitación y no pudo evitar una leve sorpresa al hallarla tan distinta al resto del edificio.

—Traigo esta tarjeta para usted.

El marqués cogió la tarjeta, tras limpiarse las manos con un sucio trapajo; sonrió mientras leía. Y murmuró:

—Los amigos están para las ocasiones, piensa esta golfa. Perdone que no le dé la mano, señorita, pero las tengo hechas un asco. Éste es un trabajo para gente sucia.

Saludó levemente con una inclinación de cabeza:

—David Rodríguez de Honestrosa, marqués de Trespasos.

—María del Rosario Valles; pero todos me llaman Rosi.

—Encantado, Rosi. Viniendo de parte de Cuca Casapiedra la escucharé con agrado. Tome asiento, por favor.

Le indicó el tresillo Luis XVI que ocupaba el ángulo del gabinete en el que dos grandes ventanales daban sobre el jardín y en que el rincón que formaban quedaba suavizado por una pared curva. Nada de aquello, ni el suave azul del entelado de seda, ni los muebles Luis XVI, ni las paredes curvas tenían la menor relación con el austero estilo exterior del palacio. Rosi se acomodó en una de las butacas y el marqués, que seguía restregándose las manos con el trapajo, en otra.

—Pues usted dirá.

—En primer lugar, le agradezco mucho que me haya recibido.

—No hay por qué.

Pasó Rosi a exponer el objetivo de su visita y David Trespasos en lugar de atender a las prolijas explicaciones de la muchacha, se entretuvo en observarla sin demasiado interés. Era guapa, atrayente y vestía de acuerdo con su edad, pero, a juzgar por lo que el marqués veía en las revistas del corazón que, por encargo suyo, de vez en cuando le compraba el criado Basilio, con más elegancia que el común de las muchachas de ahora. Le pareció despierta y decidida y que se esforzaba en parecer simpática y algo seductora, y en realidad lo conseguía. Cuando Rosi Valles hizo una pausa en el runrún que le llegaba al aristócrata, éste dijo amablemente y demostrando un gran interés:

—Pues usted dirá qué la trae por aquí.

Comprendió Rosi que se hallaba frente a un anciano y no le importó volver a comenzar:

—Trabajo en una empresa muy importante de «relaciones públicas». Una de las mejores del país.

—Ah, ya sé, ya sé. Creo que es una de esas profesiones nuevas muy adecuadas para la mujer.

—A mí eso me parece.

—A mí también.

—Uno de nuestros principales clientes es propietario de una acreditada galería de arte de Madrid y ha establecido contactos con un americano que pretende montar una gran exposición itinerante de pintura española actual que recorra Estados Unidos.

—Buen proyecto.

—Tanto Sacul, la galería de arte, como el americano, me envían para saber la disposición en que usted se encontraría y para echar un vistazo a su pintura.

—¿Un vistazo?

—Sí, los de marketing prefieren que la primera impresión sea la de una persona profana, no la de un entendido. Ya sabe usted cómo son los de marketing.

—No, no lo sabía.

—Pues ya empieza usted a saberlo —y rió, llena de encanto.

El marqués se levantó y fue hacia el lugar de su recoleto gabinete en el que, en el suelo, apoyados en la pared, había varios cuadros. Los fue volviendo hacia Rosi, que acogió cada uno con ligero murmullo, al parecer, aprobatorio.

—Como usted advertirá —explicó el marqués— son algo distintos unos de otros. De los cuatro que usted puede ver, dos son bodegones y otros dos, estados de ánimo. Creo que no es difícil distinguirlos.

—No, no....

El marqués los puso de nuevo donde estaban y volvió a limpiarse con el sucio trapajo.

—Todavía está fresca la pintura; y aún no los he barnizado.

—¿Ha expuesto ya fuera de España?

El marqués rió con carcajada feliz, sin la menor sombra de resentimiento, de decepción.

—Ni fuera ni dentro. Esto no es más que una evasión... Lo hago solamente para mí. Ni siquiera sé cómo usted y la galería y el americano han llegado a enterarse.

—Por las relaciones públicas.

—Sí, es natural.

De ahí pasaron a hablar de que el marqués hacía aquello con la única intención de paliar su soledad. Y aquella soledad había sido buscada por él. Las grandes ciudades, como Madrid, eran insoportables. El ruido, la polución... En la carretera de La Coruña había demasiado tránsito, eso era verdad, pero así se acercaba menos gente al retiro del marqués. Pero ¿la soledad no le pesaba mucho? De pronto el marqués dijo:

—¿Usted no quería ver los cuadros? ¿No los ha visto ya? Pues, no lo tome a descortesía, pero prefiero seguir pintando.

—Es usted un tío legal —dijo ella. Y se despidió hasta dentro de unos días.

37

—Será usted bien recibida, Rosi.

Cuando Rosi salió del gabinete, David Trespasos mascalló tres o cuatro palabrotas desordenadas que compusieron un breve párrafo carente de significado y se sentó frente al cuadro en el que trabajaba. No cogió la brocha gruesa ni la espátula ni la plancha metálica que utilizaba como paleta, sino que se quedó abstraído, con la mirada perdida en las formas y los colores del cuadro, aunque sin ver unas ni otros. Como por las noches antes de coger el sueño, ahora ni siquiera pensaba: recordaba como si todos los trocitos de sucesos que iban aflorando al laberinto de su memoria fueran las piezas de un rompecabezas infinito, imposible de recomponer.

Rosi, al mismo tiempo, con la ayuda del viejo criado, que se corporeizó misteriosamente en la sombra de una galería, salió a la explanada, entró en el coche y se alejó del palacio de Trespasos. Pero no se alejó en dirección a Madrid, sino que en vez de atravesar la vaguada, siguió en dirección a la sierra y rodeó el palacio hasta llegar a unos tres kilómetros de su parte trasera y desde allí volvió a fotografiar diversos ángulos de lo que suponía era la finca Trespasos.

Al día siguiente, sobre la mesa del director de la agencia de relaciones públicas estaban extendidas las cuarenta o cincuenta diapositivas que Rosi había considerado no desechables. El director y ella misma iban colocándolas por sectores. También el alemán —todos le llamaban «el alemán»— estaba atento a la clasificación. Del palacio apenas había tres o cuatro diapositivas. Casi todas eran de los campos de alrededor: los viñedos, los olivares, el encinar y hectáreas y más hectáreas de jara.

* * *

David estaba sentado al órgano interpretando su pieza predilecta, el «largo» de Haendel. Pero se interrumpió de pronto con dejadez, con desgana. Interiormente, se confesó a sí mismo: estar arruinado es una leche. Sin cerrar el órgano eléctrico, se levantó y dio unos pasos por la habitación. Los había dado ya tantas veces... Era una leche estar arruinado, no había exagerado nada. Pero anda que ser viejo, eso sí que era una auténtica calamidad. Fue hacia una de las librerías que ocupaban casi todas las paredes y consultó el diccionario de la Academia. «Calamidad. Desgracia o infortunio que alcanza a muchas personas. // Persona incapaz, inútil o molesta.» Volvió a depositar el libro en su sitio. Sí, no se había equivocado, las dos definiciones le venían como anillo al dedo, pues la vejez era una desgracia que afectaba a muchas personas y casi todos los viejos —el «casi» podía suprimirse— eran «personas incapaces, inútiles y molestas». Se le escapó una sonrisa malévola al caer en la cuenta de que si ello era cierto también lo era que él, David Trespasos, podía haber sido una persona incapaz, inútil y molesta en su infancia, en su juventud y en plena madurez. ¿No se podía decir de todos los de su clase social que lo eran? Le hacía gracia pensar que algo que los demás seres humanos alcanzaban con el paso de los años, ellos lo tenían de nacimiento. En otros tiempos, no, desde luego; porque en otros tiempos ellos, los aristócratas, se confundían con los militares y no eran incapaces, sino muy capaces para defender a su rey contra otros reyes o contra feudales traidores; útiles, por lo tanto. Y sí molestos, mas para los enemigos. Quizás también para los siervos. Pero ése era otro cantar. Detuvo de pronto su paseo. Le había vuelto el dolor de la rodilla; intentó caminar otros dos o tres pasos pero no pudo hacerlo sin cojear. Se acarició la rodilla, aunque sabía que de ese modo no podía calmar el dolor, era una caricia más de cariño que de otra cosa, pobre, pobre rodilla mía, como si fuese la rodilla la que padeciera y no él. Una cosa era ser aristócrata y otra ser viejo, aunque ambas cosas pudieran relacionarse y ninguna fuera evitable. Una vez, en su remota juventud, leyó un libro de un psicólogo que empezaba diciendo algo así como: «Hasta hoy la muerte se ha considerado un fenómeno inevitable...» El joven David Trespasos sintió alguna esperanza al leer aquella frase y siguió leyendo el libro, del que ahora no recordaba más que aquellas diez palabras. Las explicaciones del psicólogo se habían perdido en el laberinto de la desmemoria. Pero recordaba algo más: que no había en el libro referencias a si era o no evitable la vejez. También le vino a la memoria un chiste, que siempre consideró genial, del humorista italiano Achile Campanile. Un hombre le preguntaba a otro al encontrarse en la calle:

—¿Qué hay? ¿Qué haces ahora?

Y el otro respondía:

—Lo de siempre: fabricando un muerto.

Siempre que recordaba este genial chiste, David Trespasos sonreía al pensar lo alegres que suelen ser los humoristas. Pero el humor, el buen humor, ¿puede ser una cura, o al menos un consuelo, para la vejez? David Trespasos fue hacia el espejo que había en el gabinete sobre una consola, un espejo con espléndido marco de bien labrada madera, y se contempló. ¿Qué era lo peor: la vejez, o envejecer? Era el tiempo quien nos envejecía. Pero nos envejecía a traición. Él, el joven David Trespasos, cliente asiduo del Pasapoga, del Casablanca, del «Victoria Club», no se había transformado poquito a poco en aquel anciano, sino en saltos bruscos. Alguna mañana, al afeitarse, detuvo su mano porque aquella arruga que surcaba su frente no existía la noche antes, en el momento de acostarse. Ni los sabios sabían si un hombre normalmente sano, como había sido él, moría poquito a poco porque le iba llegando la vejez o si sucedía todo lo contrario: que la muerte tiraba y tiraba de aquel hombre sano conduciéndole primero a una ancianidad incipiente luego a una ancianidad ostensible —todos le ayudan, algunos le respetan, otros prescinden de él—, y después a la decrepitud. ¿Si él, el David Trespasos que veía reflejado en el espejo, hubiera tenido aquellos síntomas superficiales en su piel, a la edad de treinta y tantos años, de cuarenta, habría sido un viejo? No; habría sido un hombre joven con arrugas. ¿Qué era la vejez, la vejez que le había llegado no suave, cariñosamente, maternalmente, lentamente, sino como en tres repentinos saltos en momentos que ya ni recordaba? No lo sabía. Abandonó el espejo y se enfrentó a las estanterías en las que conservaba sus libros más esclarecedores. Los recorrió con una mirada circular, reprochando a sus autores, desde Cicerón y Horacio, hasta Freud y los últimos osados, que todos ignorasen lo que era aquella vejez incontenible, irremediable, que ahora era la causa de que sin él propiciarlo ni esforzarse lo más mínimo, dos lágrimas humedeciesen sus mejillas. Hacía muchos años que se había refugiado en la soledad, y eso le salvaba muchas veces del ridículo.

De nuevo el dolor de la rodilla. Pensó si le convendría ir al cuarto de baño y echarse un poco de Reflex, que siempre le calmaba algo, aunque muy pasajeramente, cuando sonaron en la puerta los discretos golpecitos característicos de Basilio, su nuevo criado.

—Adelante, Basilio; puedes pasar.

El criado —chaleco a rayas, pues era por la mañana; durante la tarde usaba una chaquetilla blanca—, abrió la puerta calmosamente, la volvió a cerrar tras sí y acompañándose de un ademán de resignación, con el que expresaba que ante la fatalidad toda lucha era imposible, dijo:

—Nada, señor marqués.

Esta aseveración sorprendió muy desagradablemente al marqués.

—¿Cómo que nada? ¿Qué quieres decir? ¿Te has informado bien?

—Creo que sí, señor marqués.

—¿No queda ninguno de esos que hacían chapuzas?

—Ninguno. Los de Veredilla hace tiempo que, según me han dicho, se arruinaron todos y se largaron del pueblo.

El marqués no disimuló su irritación.

—Pero algo más allá, en Collado, o en Alcobendas, aunque esté a treinta kilómetros, ya lo sé, pero en Alcobendas había un fontanero magnífico, de los mejores en su oficio. Pepe le llamaba y venía.

Era evidente que a Basilio no le era fácil atreverse a decir lo que consideraba inevitable decir, le costaba trabajo. Al fin lo dijo, lentamente:

—Señor marqués, perdóneme por lo que voy a decirle, ya sabe que yo aún no tengo con usted la confianza que tenía el pobre Pepe...

—Puedes tomarte la confianza que quieras.

—Gracias. Pues lo que debo decirle es que cada día se le olvidan más cosas al señor marqués. Ya me lo dijo el pobre Pepe, que gloria haya. Debe el señor marqués tomar las vitaminas. Pepe me pidió que se lo recordara.

—Si las tomo, Basilio, las tomo todos los días. No hace falta que me lo recuerdes.

Pero Basilio siguió con lo que estaba diciendo.

—Entonces no habrá olvidado que aquel hombre que dice, el fontanero de Alcobendas...

—Baldomero —interrumpió el marqués a su criado—, Baldomero se llama. Fíjate si me acuerdo.

—Eso es, Baldomero. Bueno, pues Baldomero se marchó a Barcelona hace poco más o menos año y medio.

—Pues habrá otro —la irritación del marqués iba en aumento—, otro fontanero, aunque no sea tan bueno como ése. Pero en Alcobendas tiene que haber muchos fontaneros, porque hay muchos vecinos.

—Sí que los hay, pero en Alcobendas todo el mundo se ha enriquecido, y los obreros, como también se han enriquecido, ya no hacen chapuzas.

Perplejo, el marqués, que había reanudado sus paseos, se detuvo.

—¿Ah, no? ¿Y puede saberse qué es lo que hacen, entonces?

—Claro que puede saberse, y el señor marqués lo sabe: hacen casas, casas enteras. Y cuando no hacen casas, trabajan en talleres, en fábricas...

La perplejidad del marqués no disminuyó ante esta aclaración.

—¿Tantos talleres y fábricas hay?

—Sí, muchísimos. Como el señor marqués no sale...

El marqués, que volvía a resentirse de la rodilla, tomó asiento.

—¿Y qué hacen cuando terminan su jornada laboral? Ántes, cuando terminaban su jornada, trabajaban por su cuenta. ¿Ahora, qué hacen?

No tardó mucho Basilio en responder.

—Bailan.

La sorpresa hizo que el marqués estuviera a punto de alzarse de nuevo del asiento.

—¿Bailan?

—Sí, se van a las discotecas y bailan.

—Antes eso era sólo los domingos.

—Ya hace años que bailan a diario.

Quedó en silencio el señor marqués, que durante una breve pausa reflexionó.

—Me parece que te he entendido, Basilio.

Humilló la mirada el criado, para responder.

—Lo celebro, señor marqués; a veces me resulta difícil expresarme.

—Ésta te has expresado muy bien —elogió el marqués sonriendo con un repunte de amargura—. Quieres decir, si no es que yo he entendido mal, que si no reconstruyen el palacio entero, no vienen a arreglar mi retrete.

Un leve rubor tiñó las mejillas del criado al responder:

—Poco más o menos, eso es. Y no le vendría mal al palacio una reconstrucción, perdone que me entrometa.

—Buenos estamos para reconstrucciones —comentó melancólico David Trespasos—. Ya te contaría el difunto Pepe que la casa de Trespasos no es ni sombra de lo que fue. ¿No te dijo nada?

Llevó Basilio la mirada al suelo, a la ajada alfombra.

—Algo me dijo.

Bruscamente cambió de genio el señor marqués —era costumbre suya—, incluso de conversación, y en actitud autoritaria, que nada se parecía al aire

43

confianzudo anterior, elevó el volumen de su voz, también su estatura, empinándose sobre las puntas de los pies para recriminar a su criado. Todo lo dicho era cierto pero nada tenía que ver con el retrete. Con el retrete lo que ocurría era que Basilio se había movido poco; acusación que el criado aceptó resignadamente pues reconocía que a causa de la edad cada vez se movía menos. La alusión al peso de los años no cayó nada bien al marqués, que prohibió al criado que recurriese a las lástimas y que sacara a relucir el cuento de la edad, asunto que nadie le echaba en cara. Mas el criado no atendió a su señor, y como si éste no le hubiera interrumpido, prosiguió su razonamiento anterior y, cargado de razón, aseguró a su señor que había hecho todo lo posible. El señor marqués sabía que aquello no era nada nuevo. Hacía años, muchos ya, desde que empezaron a cambiar las cosas de la política y a llegar aires de afuera que nadie quería trabajar así, en plan chapuzas. El señor marqués tenía que saberlo por el pobre Pepe, que también tropezaba con dificultades, y se lo contaba a Basilio. Desde hacía tiempo para aquellos trabajos era necesario llamar a alguna empresa especializada en reformas, que había muchas, era de suponer que unas mejores que otras y más responsables. Los empleados de la empresa recorrían la casa, llevaban a cabo una inspección minuciosa, hacían después un presupuesto detallado y la empresa se encargaba de llevar a los fontaneros, a los albañiles, a los carpinteros. Se impacientó el marqués ante tan prolija descripción porque todo aquello estaba harto de saberlo. Efectivamente, los empleados de la empresa de chapuzas empezaban a mirar, a fisgar, a hurgar, a meter las narices por todas partes. Rascaban las paredes, levantaban las baldosas, desencajaban las puertas... ¿Creía el simplón de Basilio que no habían ido al palacio varias veces, y al piso de Rosales, cuando los marqueses lo tenían? ¿Y al caserón de Santa Isabel? ¿Y al chalé de Torremolinos antes de que el marquesito lo vendiera? En una especie de ataque de histrionismo, ante la sorpresa de Basilio, que aún no estaba muy hecho a los comportamientos de su señor, el marqués se desplazaba de un lado a otro imitando a los empleados de las empresas reconstructoras.

—En este techo hay una gotera, debemos subir al tejado; esta puerta no cierra bien, a aquel montante hay que reponerle el cristal, estas baldosas están flojas y hacen ruidos, y cuatro de ellas están rotas, hay que reponerlas todas porque éstas ya no se fabrican. Pero hay cosas que tú no sabes, Basilio, que no puedes saber porque sólo llevas un mes conmigo...

Había abandonado su actitud autoritaria y recriminatoria y volvía a buscar la confianza del criado.

—Es verdad, señor marqués, y lamento que...

Sin escucharle, el marqués, con un ademán amable, le indicó que se callara.

—Y aunque mucho te haya contado Pepe...

—Era muy discreto.

Sonrió malicioso el señor.

—Contigo, seguro que no. Pero aunque mucho te haya contado, ¿a que no sabes, por ejemplo, que yo no quiero que cierren bien las puertas?

—No, señor marqués, no lo sabía —dijo, sorprendido, el criado.

—Pues no quiero que cierren bien las puertas, Basilio, porque estoy acostumbrado a que cierren mal, a que se abran solas de pronto para dar paso a un fantasma —los fantasmas que recorren el palacio desde hace tantísimos años—, a que giman lastimeramente sus goznes como cuando yo era pequeño. Y quiero también que este palacio tenga goteras y poner una cacerola debajo, porque así he conocido siempre esta obra de arte...

Rió sarcásticamente y despectivo con sonido metálico y boca torcida al referirse a la mansión familiar.

—No quiero que pongan lavabos nuevos, de diseño posmoderno, que es una horterada, ni quiero que me quiten el sonido de las baldosas de la zona de servicio, el sonidito cascabelero que escuchaba hace mil años cuando iba por las noches a tirarme a una de las doncellas del cuerpo de casa; no quiero que remienden esas cortinas...

Se desplazó hacia las que cubrían el arco a la italiana que separaba el gabinete de la alcoba y acarició delicadamente su deslustrada vejez, como si acariciara las mejillas de una abuelita.

—... ni quiero que cambien por tergal el raso envejecido, sucio, harapiento que forra estas paredes...

Y de nuevo tuvo una violentísima transición y con los pasos más largos que le permitía su artrosis se plantó ante su nuevo criado y a voz en cuello le espetó:

—¡Pero quiero que cuando voy al retrete, al retrete del palacio de los marqueses de Trespasos, de la cisterna salga un potente chorro de agua que se lleve la mierda, que se la lleve hasta las cloacas, hasta el río, hasta el Jarama, hasta el Tajo, hasta el Atlántico, hasta los Estados Unidos de América, ¿comprendes, Basilio?!

El atemorizado Basilio retrocedió un paso antes de responder.

—Sí, señor marqués. ¿Cómo no voy a comprenderlo, con lo bien que usted se explica? Ya me lo había dicho el pobre Pepe, que gloria haya. Y no sólo comprendo muy bien lo que dice, sino que creo adivinar lo que piensa, aunque no lo diga.

—¿Lo que pienso? —quizá al marqués le pareció excesiva la pretensión de Basilio de adentrarse en aquellas profundidades.

—Usted piensa, y perdóneme que me atreva a decírselo, y se lo digo porque yo también lo pienso, que yo no valgo ni la mitad que el pobre Pepe, que gloria haya...

Observó el marqués, habituado por su educación aristocrática a disimular o, por lo menos, atenuar la expresión externa de sus sentimientos, que su criado se compungía un poco por encima de lo normal.

—... y que si él no hubiera fallecido, habría sabido encontrar quien arreglase la cisterna, y que yo no encuentro un fontanero, porque soy un inútil. Y le digo, señor marqués, que aunque yo no sirva ni para atar los cordones de los zapatos del pobre Pepe...

—Que gloria haya —añadió con sorna el marqués.

—... he hecho todo lo que he podido; pero ahora, por lo del IVA y el paro y el dinero negro y no sé qué más, con los obreros no hay quien trate, señor marqués, no hay quien trate.

Ese sonido que produjo y que tan perceptiblemente llegó a los oídos del señor marqués era el de sorberse los mocos, no cabía duda. Inmediatamente se enjugó las lágrimas con un pañuelo.

—Y el señor marqués sabe que al pobre Pepe nadie le ha querido como yo.

—No especifiques, Basilio, no especifiques, que no es necesario.

Pero insistió en lo suyo el sentimental criado.

—Y que nos pasábamos las horas muertas él y yo hablando del señor marqués y de la señora marquesa...

—Vale, vale, vale.

Nuevo sorbetón de mocos.

—Y de su familia...

—¡Vale!

Volvieron el autoritarismo y el tono metálico y el grito poderoso, y Basilio se calló automáticamente.

—Ya sabemos los dos que Pepe y tú os queríais muchísimo y que los dos me queríais a mí, y que por eso a la muerte de Pepe te has despedido de casa de Aguilero y estás aquí conmigo. Todo eso lo sabemos, pero también sabemos que no funciona la cisterna.

—¿Y qué quiere el señor marqués que haga? Yo mismo he intentado arreglarla...

El marqués le interrumpió y confesó, ligeramente humillado:

—También yo.

Llevaba un buen rato Basilio esforzándose por contener las lágrimas, pero no pudo más y le volvió, incontenible, el llanto.

—He puesto toda mi voluntad, pero no he sabido. De momento, con los jarros de agua que le traigo se va arreglando el señor marqués.

—Sí, como el rey Carlos III cuando hace dos siglos venía aquí de montería.

—Si quisiera el señor marqués ir a los lavabos del salón grande...

Más enérgico, más autoritario que las veces anteriores, atemorizador, ordenó el marqués:

—¡Calla, Basilio!

El criado comprendió que se había pasado, que había traspuesto los límites que, a pesar de la aparente confianza con que el marqués de Trespasos le honraba, los separaban.

—Ya, ya —musitó.

4

Sobre las dificultades del oficio de criado de casa grande, la influencia de la firma en la pintura abstracta y algunos otros temas más o menos relacionados con los anteriores.

Creció la irritación del señor marqués al pensar que quizá con aquel hombre se había equivocado, que, pese a habérselo dejado en herencia Pepe, se diferenciaba mucho de éste. Le faltaban leguas para llegar a la discreción, a la sutileza, a la mano izquierda del difunto.

No era nada sorprendente, pues Pepe había ido aprendiendo poco a poco, primero durante su juventud, en Sevilla, en casa de los condes de Fáñez, multimillonarios y embajadores, con casa en Sevilla, en Madrid y en Londres, demasiado fatuos, pero de exquisito trato, y más adelante, a partir de los treinta años, con él, con Trespasos, en el que se unían la sencillez y la naturalidad de la auténtica aristocracia con el ingenio y el depurado gusto de un intelectual y artista cultivado. ¿Se atrevía a pensar eso de sí mismo? Sí, ¿y qué? ¿Alguien tenía algo que oponer?

En cambio, Basilio, el nuevo, había pasado sus diez últimos años con los Aguilero, que si ella era una advenediza, él era un cursi ignorante, fin de una raza de ignorantes cursis, que encima tenía ínfulas de gran señor. Como en las viejas callejuelas pintorescas de una gran ciudad, David se había perdido en sus pensamientos. Cuando recobró el hilo, creció su irritación, no contra el infeliz Basilio, sino contra las circunstancias.

—Pero lo que yo me pregunto es: ¿cómo se las arreglan los dueños de esas birrias de chalés que nos han plantado ahí, en El Sotillo?

Se había desplazado hacia uno de los ventanales y con dedo acusador señalaba la urbanización, que, tras el olivar, se divisaba a tres o cuatro kilómetros de distancia.

—Los dueños de esos chalés —explicó Basilio— casi todos sabían hacer algo antes, y han aprendido otras cosas: saben un poco de carpintería, pintar paredes, cuidar el jardín, algo de electricidad, un poco de fontanería...

Ambos quedaron en silencio, pausa que don David, el marqués, aprovechó para meditar.

—No creo que sea solución.

—Eso digo: no creo yo que el señor marqués...

—Ni tú tampoco, Basilio.

—¡Yo qué voy a aprender ya! Con mis años... El señor marqués sabe escribir libros...

Señaló la mesita, siempre limpia y ordenada, en que don David redactaba sus textos de historia; y después señaló el caballete y el órgano, como si todo aquello fuera la parafernalia de un culto religioso inalcanzable para él.

—... y pintar al óleo y tocar el piano... Ya está bien. El señor conde de Aguilero no sabía nada de nada.

El señor marqués de Trespasos se creyó obligado a defender a los de su clase y replicó ponderativo:

—Era un gran cazador.

—Es verdad —se encogió de hombros, despectivo—, pero eso...

—A mí, con la música, la pintura y la historia, no me ha quedado tiempo para aprender a arreglar el retrete.

Se llevó un dedo a los labios, pidiendo silencio.

—Escucha, Basilio.

Tras un silencio brevísimo, preguntó el criado:

—¿Qué quiere el señor marqués que escuche?

—Cállate, Basilio; para escuchar, lo primero que hay que hacer es callarse.

Y tras esta admonición, el criado se dispuso a escuchar con el mismo silencio y la misma atención que el amo.

—¿No oyes nada?

50

—Nada, señor marqués.

—¿No oyes como un zumbido?

Volvieron los dos a escuchar aguzando el oído.

—Sí, señor marqués; creo que oigo lo que usted dice: un zumbido.

Efectivamente, en el silencio el zumbido era muy perceptible.

El marqués imitó el zumbido que se escuchaba:

—Zzzzz... Zzzzz...

—Es verdad, es verdad.

—Y luego: clic, cloc... ¿Has oído?

Asintió Basilio con la cabeza, sin abrir la boca, para no interrumpir la escucha. El marqués seguía subrayando los ruidos, como si los tradujera a lenguaje humano, onomatopéyico:

—Zzzzz... Zzzzz, clic, cloc... Zzzzz... Zzzzz..., clic, cloc...

Con un dedo acusador señaló hacia el arco a la italiana, hacia la alcoba; y, seguido por el criado, fue rápido hacia el cuarto de baño.

—¡Es la cisterna! ¿Comprendes, Basilio? ¡La puñetera cisterna que nadie quiere arreglar! ¡Todo el santo día está así, haciendo ese ruido insoportable!

Se tapó las orejas con las manos precisamente en el instante en que llegaba otro ruido, esta vez desde el exterior: el de un coche que rodaba sobre la grava, un frenazo, un claxon discreto.

El criado volvió al gabinete.

—Creo que ha llegado un coche —dijo, mientras se acercaba a la única ventana desde la que, un poco al sesgo, se alcanzaba a ver la explanada.

El marqués, que en aquel preciso momento se había tapado las orejas, no pudo oír nada.

—Sí, señor marqués. Ha llegado un coche.

El marqués se acercó también a la ventana.

—¿Esperamos a alguien?

Recordó Basilio que, efectivamente, esperaban a la señorita que se había presentado en el palacio días atrás. El señor marqués quedó con ella en que volviese dentro de unos días. El marqués se retiró de la ventana, alegre, esperanzado, pues sin duda la señorita Rosi, al haber dejado transcurrir tan pocos días, sería portadora de buenas noticias. Si no, no habría vuelto tan pronto.

—Corre, dile que pase.

Partió velozmente el criado a cumplir la orden del señor.

En cuanto salió Basilio, David Trespasos recorrió con una mirada circular la habitación, para comprobar que el desorden no era el que podía esperarse de un lugar habitado por un hombre solo, ya que el nuevo criado en eso sí estaba resultando eficaz y el pequeño ámbito en que se desarrollaba la vida del marqués era por lo menos limpio y ordenado, a pesar de realizar en él su ocupante los tres entretenimientos de la música, la pintura y la historia. Pero ¿y él? ¿Resultaba él presentable, adecuadamente vestido para recibir la visita de la señorita Rosi? Como nunca recibía a nadie, no estaba seguro del aspecto que debía presentar. Por otro lado, si a ella no le gustaba así, que se aguantase. Al fin y al cabo, no se la iba a tirar. Ni ella venía a eso. Se contempló en el espejo que había sobre la consola. La recomendación que trajo Rosi no era mala, de los Casapiedra, unos imbéciles profundos, pero no mala gente. La verdad era que cualquiera se fiaba de las recomendaciones. Hay personas capaces de recomendar a su peor enemigo, con tal de hacerle la puñeta a otro. Recordó entre sonrisas cuando Eulalia, su mujer, y él decidieron despedir a aquel mozo de comedor que robaba y enseñaba cuentos verdes a los chicos y a ellos les ponía motes y metía putas en la zona de servicio, y se lo recomendaron a la Olmedares, ¡lo que pudieron reírse Eulalia y él! Eran los buenos tiempos. Tampoco aquella mañana hacía mal tiempo. Y ya no le dolía la rodilla.

Basilio abrió la puerta y anunció:

—La señorita Rosi Valles.

Se apartó para dejar paso a la recién llegada y se desvaneció en las oscuridades de la galería.

Rosi, sonriente, se acercó a David, y le ofreció las dos mejillas.

—Hola, David, buenos días, y gracias por dejarme interrumpir de nuevo su soledad.

—Gracias a usted por venir a hacerme compañía —respondió David, después de besar delicadamente aquellas dos tersas mejillas. Inició luego un ademán para ofrecer asiento a la joven, pero ésta le interrumpió.

—Bueno, David, no quiero entretenerle mucho, porque supongo que con la historia, la pintura, la música, aunque no haga vida de sociedad, no le sobrará tiempo. ¿Vamos a lo nuestro?

—Cuando usted quiera.

—Pues ahora mismo.

Tan pragmático como la «relaciones públicas», el viejo marqués repitió:

—Vamos a lo nuestro. Siéntese, por favor.

—No; perdóneme, David, antes quiero ver de nuevo los cuadros que me mostró el otro día. No le dije todo lo que me gustaron porque me dio corte. Ahora quiero verlos otra vez para llevarme uno.

—¿Cuál?

—La verdad es que todavía no lo sé. Quiero verlos todos para elegir uno solo.

—Pero verlos todos es una labor pesadísima —dijo David—; conforme los pinto, algunos antes de barnizarlos, los voy bajando al sótano. Es el trabajo de más de veinte años. Aquí, ya lo ve usted, sólo hay los mismos que vio usted el otro día, en su primera visita.

—Pues a esos me refiero. A ver, por favor, vaya volviéndolos —pidió Rosi.

—Desde que estuvo usted no he pintado nada más. Estos son los que usted vio. Dos bodegones y dos estados de ánimo, ¿no recuerda?

—Sí, sí.

El marqués había vuelto los cuadros, que estaban en el suelo, cara a la pared.

Hubo un tiempo en que el marqués creía que su pintura, ya que no original, era por lo menos muy personal, pero ahora ya sabía que no; recibía alguna revista de arte, era inevitable que viera también las reproducciones que venían en los diarios y sabía que había alcanzado una cierta habilidad en pintar cuadros de agradable colorido, que podían parecerse a una pintura que en cierta ocasión oyó denominar «pintura gestual», que estuvo de moda treinta años atrás, y que, imitada por él, si de algo carecía era de personalidad. Pero ¿era él una autoridad crítica para juzgar su propia obra? ¿Y si llegaba un entendido y decía que todas aquellas manchas, borrones, tachaduras, si algo tenían era precisamente «personalidad», que allí estaba toda la vida interior, el conflicto vivencial de un hombre? ¿Él qué sabía? ¿Y acaso podía saberlo aquella estupenda muchacha que ahora miraba los cuadros uno por uno, fruncido ligeramente el entrecejo, como esforzándose en no pasar por alto ningún matiz? Ni con entusiasmo ni con decepción, con simple curiosidad, preguntó:

—¿Todos son así, abstractos?

—Sí, creí habérselo dicho el otro día. ¿Por qué lo pregunta? ¿Tiene poca salida ahora el abstracto? —quiso saber David.

—No, no; lo pregunto por simple curiosidad —respondió Rosi.

Y señaló el último cuadro que había mostrado el marqués.

—Ése está muy bien. Me mola, de verdad, me mola. ¿Es un estado de ánimo o un bodegón? La pintura abstracta no es tan fácil de interpretar como la figurativa.

—Desde luego —aceptó sonriente David—. Es un estado de ánimo.

—Ya me parecía —y añadió admirativa—: ¡Qué fuerte!

El pintor enunció el título:

—«Rencor».

—¿«Rencor»? —preguntó la relaciones públicas torciendo el morro.

—Sí.

Dudó ligeramente Rosi al preguntar:

—Bueno..., pero... supongo que se podrá contar con su autorización para llamarlo de otra manera, porque «Rencor» es demasiado, ¿no le parece a usted?

Al pintor no le parecía y se atrevió a protestar discretamente.

—Hombre..., cambiarle el título a un estado de ánimo... Si se tratase de un florero...

—Es que resulta que el cuadro me gusta cantidad —y se acercaba y se alejaba del lienzo para contemplarlo mejor, con mirada más crítica.

—Pero en cambio el título... No sé... Lucas, el de la galería Sacul, quiere ver uno, sólo uno, para enseñárselo al americano. Lo de que el pintor sea un noble español le parece que en Nueva York puede tener salida. Como arranque, a Lucas y a sus socios una exposición del marqués de Trespasos les parece fenómeno.

David tardó unos instantes en replicar:

—Pero... yo no firmo Trespasos.

—¿Ah, no?

—No.

—Pues ¿cómo firma?

—Rodríguez.

Se levantó el marqués y se acercó a la zona del caballete para coger uno de los cuadros.

—¿Firma usted Rodríguez? —preguntó, desagradablemente sorprendida, Rosi.

El marqués le acercó el cuadro para que viera la firma, en el ángulo inferior derecho.

—Mírelo, aquí abajo.

Pasaba Rosi su mirada de la firma al rostro del marqués, como si éste fuera un bicho raro.

—¿Y por qué firma usted así?

—Es mi nombre —respondió Rodríguez mientras volvía a dejar el cuadro donde estaba—. Me llamo David Rodríguez de Honestrosa Arcos de Castillo.

—Pero Lucas pensaba apoyar la promoción en el marqués de Trespasos y ahora se va a encontrar despistado del todo. Vaya mogollón. Tendrá que empezar de cero.

—No quiero mezclar el título con esto. Le será fácil comprenderlo si recuerda los problemas que he tenido con mi familia.

Mas ¿por qué iba ella a recordarlos si acaso no los había conocido nunca? Eran problemas antiguos, que no habían salido en las revistas del corazón y que, muy posiblemente, a aquella niña del posfranquismo le habrían tenido sin cuidado.

La niña del posfranquismo volvía a torcer el morro.

—Pero es que Rodríguez...

—Le advierto que un apellido así en Nueva York puede resultar muy exótico —arguyó el marqués de Trespasos, convencido y sin pizca de ironía.

Rosi no lo veía tan sencillo.

—Pero la promoción tiene que arrancar aquí, en la galería Sacul. Y si aquí pinchamos, no hay quien pase la frontera, lo que yo le diga, David.

—No quiero implicar el título. Y le advierto que el vender mis cuadros ya es una decisión progresista.

Rosi le miró con sorpresa en lo que él volvía a sentarse, dispuesto a dar explicaciones.

—Mi bisabuelo, el quinto marqués de Trespasos, era un buen pintor, pero su padre jamás le consintió que comercializase su pintura.

—¿Por qué?

Trespasos sonrió. A las clases bajas, por muy al día que se pusieran, nunca les sería fácil comprender los privilegios ni las restricciones de la clase alta. Sin borrar su sonrisa suficiente, prosiguió:

—Porque la pintura, al fin y al cabo, es un trabajo manual, una artesanía. Y en aquellos tiempos estaba pésimamente visto que los nobles vivieran del trabajo de sus manos. En otros aspectos el código de la nobleza ha sufrido muchas modificaciones desde la Edad Media, pero en aquél no.

—Y su bisabuelo, al no poder comercializar su obra, ¿abandonó su afición, o, como usted, siguió pintando aunque no le sirviera para nada?

—Claro que siguió pintando, era la pasión de su vida. Lo hacía además con una maestría extraordinaria. Ya quisiera yo... Y no le estaba prohibido ni por ley ni por costumbre, mientras no se lucrase con su obra.

—¿Y se conservan aquellos cuadros? ¿Están aquí, en el palacio de Trespasos?

—No, aquí no queda ninguno. Los firmó todos un gran pintor amigo suyo, como si fueran obra propia, los fue vendiendo y se repartieron entre los dos las ganancias. Durante unos veinte años poco más o menos, fueron a pachas. No se lo va usted a creer, pero gran parte de la pintura histórica española del siglo XIX es obra de mi bisabuelo.

La ingenua «relaciones públicas» estaba estupefacta.

—¿Es posible?

Con inevitable superioridad el marqués de Trespasos le explicó que si se esforzaba en pensarlo bien, comprendería que no se podía tener aquella sensibilidad para lo histórico, para la grandeza, para la realeza sin haber nacido aristócrata. Rosi, pensativa, lo aceptaba, al tiempo que intentaba recordar algo de lo que había visto de la pintura histórica del XIX. Según el marqués, eran casos parecidos al de Molière y al de Shakespeare, que en resumidas cuentas, según habían demostrado los expertos que más habían profundizado en sus obras, no eran más que seudónimos de personajes de la corte, de la aristocracia. Para Rosi todo aquello era simplemente un mogollón que ya intentaría ella trasmitirle, resumido, a su jefe y a Lucas el de Sacul y después volvería a visitar al marqués para comunicarle la conclusión a la que se hubiera llegado. La idea le pareció aceptable a David y también la propuesta de Rosi de llevarse el cuadro que había dado lugar a la conversación. Pero antes pidió permiso al marqués para hacerle otra oferta, a lo que tampoco éste se negó, aunque, según le advirtió Rosi, no tenía nada que ver con las artes plásticas, ni con la historia ni con la música. Y además la «relaciones públicas» daba por supuesto que al marqués no le iría, pero por ella que no quedara. Esto picó la curiosidad del marqués, que apremió a la joven a que le dijera de una vez de qué se trataba y al enterarse de que el asunto era de cine no se sorprendió demasiado y preguntó con indiferencia que pudo ser simulada:

—¿Un trabajo de actor? ¿Como Villalonga y el pobre Marismas? Sí, hace años me hicieron algunas ofertas... Pero, la verdad sea dicha, yo no tengo dotes...

Al oír aquello, Rosi no pudo contener la risa y, muy divertida, interrumpió a David:

—No, no es usted el que interesa a los del cine, y, por favor, no lo tome a mal. Eso sería un curro. Esto es muchísimo mejor, porque usted no tendría que mover un dedo, no tendría que hacer nada ni salir de aquí. Lo que les interesa a ellos es el palacio.

Sin disimular su sorpresa, y considerando el palacio casi con repugnancia, preguntó el marqués:

—¿Que les interesa esta ruina? Será para una película española.

—Sí, claro.

—Entonces pagarían una miseria.

—Aún no se ha hablado de pelas. Primero quieren saber si estaría usted dispuesto a aceptar. Es el primer paso, ¿no le parece? Porque si no...

Repentinamente, David Trespasos se levantó de su asiento, indignado.

—¿Aceptar qué?

Estaba ya Rosi Valles más o menos habituada a reacciones similares a esa y no se inmutó demasiado.

—Pues lo que le acabo de...

Iracundo, la interrumpió el marqués de Trespasos.

—¿Que invadan el palacio de Trespasos una pandilla de cineastas?

A pesar de experiencias anteriores, Rosi comenzó a perder parte de su seguridad.

—Yo pensé... que estaba usted demasiado solo... Que estaba demasiado solo y que...

El aristócrata ofendido no la dejó terminar.

—¡Vivo aquí aislado hace unos años por mi propia voluntad! Pero ¿cree usted que este aislamiento me impide saber qué clase de gente son los que hacen las películas?

Rosi intentó sonreír, recuperar su seguridad en sí misma.

—Hay de todo.

A cada momento más exasperado, vociferó el marqués:

—¡Son un hatajo de estafadores y mendigos!

Recorrió la habitación, señalando las telas gastadas, las manchas de humedad, los visibles desperfectos.

—Ya sé que el palacio está hecho un asco, pero ¿se imagina cómo quedaría después de esa invasión?

—No sé qué decirle. Otras veces...

—¡Queda poco de la pasada grandeza, pero de lo que queda yo soy el guardián!

—Ellos se comprometen a dejarlo todo tal como lo encuentren.

Se tomó un tiempo David para serenarse, para respirar sosegadamente. Quizás no había escuchado la última frase de Rosi. No pensaba ahora en ella, en aquella muchacha agradable y diligente, que, al fin y al cabo, sólo intentaba cumplir su trabajo. Pero él, con aquellos ademanes, aquel tono altisonante, con la alusión a la grandeza pasada, ¿no se habría puesto en ridículo? El aislamiento, el encierro, la voluntaria soledad le procuraban momentos de placidez, de serenidad pero le habían hecho perder el hábito de tratar con los demás. Basilio, como el difunto Pepe, no podían representar a los demás, eran sólo unos criados y por mucho que se esforzaran en fingir, el marqués sabía que no se comportaban ante él de manera espontánea, con sinceridad. La señorita Rosi, en su fuero interno, ¿estaría riéndose de él?

—Perdóneme, Rosi, me estoy pasando.

—No, no.

—Sí, estoy poniéndome enfático, grandilocuente...

Con simpatía, un encogimiento de hombros, una sonrisa, respondió Rosi:

—Si a usted le va ese rollo...

—No, eso no es lo mío. Pero su oferta me ha sacado de quicio.

—Lo siento. No quise molestarle. Pero no es una oferta mía, sino de Leda Films.

—¿Y ésos quiénes son? —preguntó David, no con desprecio, sino con simple curiosidad—. ¿Hay en Leda Films algún conocido?

Le pareció que Rosi tardaba unos instantes en responder para precisar lo que él podía entender por «conocido».

—No, creo que no. Pero han hecho ya seis o siete películas, según mis informes. Y tienen crédito. Y bajo ningún pretexto entrarían en estas habitaciones ni los obreros ni los artistas.

A punto estuvo Trespasos de incurrir de nuevo en el pecado anterior. Elevó la voz para afirmar, algo exasperado:

—¡Faltaría más!

Inmediatamente se reprimió.

—Me he atrevido a proponérselo porque no creí que lo tomara tan a mal.

—¿Ah, no?

—Y..., perdóneme que entre en detalles, también porque se trataba de dinero inmediato. Usted y la marquesa no tardarían nada de tiempo en empezar a cobrarlo. El anticipo, la semana que viene. Usted sabe que Pedregales y Santíbulo y Baraola han alquilado sus chalés. Y la de Castañares su palacio.

—¡Allá ellos!

—Incluso Martín de Martín alquiló su cortijo el año pasado.

—¡Ése es un banquero! —no pudo evitar el viejo aristócrata la intención despectiva.

Ni pudo evitar la suya admirativa la «relaciones públicas» al replicar:

—Pero ¡qué banquero!

Al mismo tiempo que con Rosi Valles, mantenía el marqués un diálogo consigo mismo. Reprímete, David. Estos tiempos son otros tiempos. Qué vulgaridad, de sobra lo sé. No te pongas en evidencia ante esta muchacha, tú eres un aristócrata y sabes comportarte con sencillez, lo haces siempre. Lo hacía, lo hacía en otros tiempos, cuando andaba por ahí. Aquella muchacha era muy joven. Tendría veintitantos años. Era muchísimo más joven que él. Y había hablado algo del tiempo, del tiempo que tardarían él y su mujer, Eulalia, en cobrar no sabía qué. ¿Poco tiempo, mucho tiempo? Había oído la palabra, pero no había captado bien el sentido de lo que la muchacha había dicho. El oír la palabra tiempo, desde hacía ya muchos años le producía este mismo efecto, como si de pronto se congelase su facultad de escuchar al que le hablaba y no pudiese impedir que su pensamiento volase hacia lo que era en realidad el tiempo, y especialmente, hacia lo que era el tiempo para él y lo que era para la persona con la que estaba hablando. Él ya había cumplido los setenta y cuatro años y había tenido un infarto; por lo tanto, el tiempo que se concedía en sus cálculos más optimistas era de cuatro o cinco años. Poseía unos cinco años de futuro. Aquella muchacha, lo más probable era que dispusiese de sesenta años de futuro, o así se lo imaginaría ella y con arreglo a eso trazaría sus planes. Había hablado la muchacha de meses y de semanas. Un mes o una semana de aquella muchacha no eran de ninguna manera nada parecido a un mes o una semana del marqués. ¿Un mes, una semana eran poco o mucho? Recordaba sus sensaciones de niño cuando se mencionaba algo relacionado con el tiempo: «El año que viene podrías examinarte de ingreso en el Bachillerato», dijo un día su padre. ¡El año que viene! Tenían que pasar todavía doce meses, cuatro estaciones, un veraneo, infinidad de almuerzos en la mesa familiar, iguales unos a otros, tediosamente iguales. ¡Cómo ha crecido este chico en nada de tiempo!, decía una visita. ¿En nada de tiempo?, se preguntaba él, asombrado de la estupidez de las personas mayores. ¿No sabía aquella visita que hacía año y medio que no le veía? ¿Cómo podía no haber crecido en año y medio? ¿Acaso le tomaba por un niño canijo? Cuando uno de sus amigos de infancia y adolescencia, que no tenía la suerte, como él, de poder vivir de las rentas, le dijo que después del Bachillerato haría la carrera de Arquitectura y que calculaba terminarla a los veintiséis años, él sintió verdadero espanto. Desde que estaban hablando hasta que su amigo obtuviera el título faltaban catorce años. En la mente de David Trespasos, a sus diez años recién cumplidos, no cabía aquella cantidad de días. Catorce años multiplicados por trescientos sesenta y cinco días con sus almuerzos y sus cenas en el comedor familiar, con sus despertares iguales unos a otros y sus atardeceres, sus cinco mil trescientos setenta y cinco atardeceres con los criados recorriendo el palacio o la casona de la calle Santa Isabel, encendiendo la luz eléctrica, corriendo las cortinas. Aquella muchacha que, sentada frente a él, le explicaba no sabía qué, ¿cuántos habría tardado desde que se matriculó en una academia de Cultura General o algo por el estilo hasta conseguir el empleo que ahora tenía? Calculaba el marqués que más de cinco años. Si era así, una eternidad, según la medida del tiempo de la muchacha; un suspiro, según la medida del marqués. El tiempo es lento, angustiosamente inacabable para los adolescentes, los jóvenes; hay durante la infancia tardes sombrías a las que nunca se les ve el fin; para los viejos es fugacísimo, esto todo el mundo lo sabe. Pero cuando están frente a frente un viejo y un niño o —como en aquella circunstancia— un viejo y una joven ¿el tiempo marcha a dos velocidades distintas? No parece posible. Lo que sí es posible es que, respecto a la velocidad a que está pasando, uno de los dos, el niño o el viejo, el viejo o la muchacha, estén en un error. Cuando la muchacha se detenía un instante en sus explicaciones para tomar aliento y se producía un silencio, podía escucharse el tictac del reloj que había sobre la consola. Y lo escuchaban los dos a la misma velocidad. Pero aquel reloj no era el tiempo, sino un aparato para medirlo, y para medirlo equivocadamente. Medía el tiempo exterior, pero no el que David y Rosi tenían dentro de sus cabezas.

En lo que el marqués estuvo abismado en sus pensamientos, dando vueltas y vueltas a lo que tantas veces había pensado, Rosi se había explayado en explicaciones sobre la eficacia de la empresa de relaciones públicas a la que pertenecía, sobre su prestigio entre los que entendían de esa moderna actividad y sobre la responsabilidad del puesto que ella ocupaba dentro de la organización. Asimismo había tratado de disipar las dudas que a don David pudieran asaltarle sobre la garantía de la productora cinematográfica interesada en utilizar el palacio de Trespasos. En muchísimas ocasiones era justificada la mala fama de la industria del cine en nuestro país, pero precisamente Leda Films era una excepción. También esbozó Rosi las líneas generales del argumento de la película, aunque aquello bien poco podía interesarle al marqués, incluso hizo una breve descripción de los caracteres de los tres personajes principales y de su condición social, para explicar por qué era preciso rodar unas cuantas escenas en los alrededores de un palacio. Se produjo uno de aquellos silencios, que al marqués le pareció demasiado largo, desde luego más que los anteriores, los que la «relaciones públicas» utilizaba para tomar aliento, y el marqués se creyó obligado a preguntar:

—¿Decía usted?

Una encantadora sonrisa borró del rostro de Rosi Valles la indignación que sintió y volvió a explicar lo mismo de una manera más sintética. El marqués debió de entenderlo muy bien, a juzgar por la objeción que puso.

—Yo no podría decidir una cosa como ésta sin consultar con Eulalia.

—Lo comprendo, contaba con eso; llámela cuanto antes, dígaselo.

David Trespasos fue al teléfono y marcó un número de dos cifras.

—Ahora mismo.

—¿Dónde está la marquesa? —preguntó Rosi Valles—. ¿En Madrid o en Marbella?

—Aquí, ahora está aquí, en Trespasos, en el ala sur. Pero no nos vemos. De mutuo acuerdo. Yo no salgo de estas habitaciones por no encontrarme con ella, que puede aparecer en el palacio en el momento menos pensado. Y está en su derecho.

—Sí, lo sé.

5

*Influencias peligrosas, whisky caro, ginebra bara-
ta, un hombre doblemente falso y delicadas relaciones
familiares.*

El personaje central de
este capítulo va a ser Antonio, y no su padre, David
Trespasos. Pero, de cualquier manera, sus vidas
están tan entrelazadas que tanto pueden interesar-
nos las peripecias de uno como las del otro, como
las de ninguno de los dos. En los años en los que el
capítulo transcurre, los sesenta, David Trespasos
era un aristócrata bastante empobrecido, pero par-
tidario de Franco, de Falange, de una monarquía
futura y de la Iglesia Católica. Estas tendencias
políticas del marqués nadie las ponía en duda en
su círculo; y buen cuidado tenía él de que tal cosa
no sucediera, temeroso de perder lo poco que le
quedaba.

Enorgullecía a David Trespasos que su hijo, el
joven Antonio, despertara atracción en las mujeres
—nunca le había ocurrido a él de una manera ostensible—, que le asediaban o aceptaban sin reparos sus
galanteos.

—En este asunto de las mujeres y en otros también, debes andarte con cuidado —aconsejaba David
a su hijo cuando le daba por sentirse padre—. Eres
aún muy joven, estás sin formar, y en esas condiciones se es fácilmente influenciable. Tú lo eres. Tu
madre y yo lo hemos comentado.

—No creo que lo sea más que otros amigos o compañeros de universidad.

—Yo tampoco lo creo. Pero tu madre y yo te cono-
cemos íntimamente a ti, no a esos amigos y compañeros. De cualquier forma, no creo equivocarme
mucho si digo que la juventud de hoy en día está

convencida de ideas llegadas de afuera, según las cuales creéis que la obligación principal del hombre en la sociedad es alcanzar el éxito.

—Yo no creo eso, papá.

—Lo crees, aunque no te des cuenta de ello. O es posible algo peor, que en tu interior haya una lucha entre la convicción de que el éxito es necesario y la duda de que tengas las condiciones precisas para lograrlo.

—Me parece que mamá y tú os habéis montado una función de teatro para andar por casa.

—No te cachondees, Antonio. Lo que quiero decirte es que en ese estado de ánimo se está muy dispuesto a recibir cualquier influencia en la que se cree encontrar ayuda. Y te lo advierto para que tengas cuidado.

Antonio tenía dos hermanas y un hermano mayor que él. Éste, Alberto, era una persona seria, a punto de terminar la carrera, que tres o cuatro veces corrió delante de la policía y que en casa procuraba no abrir la boca. Algunas veces David Trespasos tuvo la impresión de que aquel hijo suyo era mayor que él, pero semejante sutileza no osó comunicársela a Eulalia.

Antonio tenía también una tía carnal, hermana de su padre, el marqués de Trespasos. Se llamaba Raimunda y ya hacía años que se había escindido de la familia y convertido en un ser muy desagradable. En la posguerra había rechazado dos proposiciones de matrimonio nada brillantes, que, en realidad, estaban amañadas por terceros y se quedó en acre solterona. Ni en su círculo familiar ni en el más extenso de sus relaciones sociales conocía David Trespasos persona más desagradable que su hermana Raimunda, y no se privaba de decirlo.

El muchacho, Antoñito, hizo sus estudios —ya no estaban los tiempos para preceptores, por lo menos los tiempos de la familia Trespasos— en la Universidad Central y allí cursó dificultosamente Derecho. En aquellos años en el mundo se iniciaba una sorda revolución —especialmente universitaria— de la que a España llegaron escasos ecos. Los padres de Antonio eran fidelísimos representantes de todo lo contrario a esta especie de revolución subterránea, heredera, en cierto modo, del existencialismo parisiense de quince años antes, pero que tuvo su principal foco en San Francisco y de allí, impulsada por el prestigio de todo lo estadounidense entre la juventud, fue extendiéndose a los demás países. No se podía, en aquellos tiempos, asistir a las clases de cualquier universidad sin definirse políticamente, lo que, en muchos casos, llegaba a la circunstancia de defender las ideas por medio de la violencia. Pero un estudiante que no fuera conservador, demócrata cristiano, fascista, comunista o ácrata era algo inconcebible, algo que casi no existía. Uno de los países en los que las autoridades consiguieron reprimir este estallido de politización estudiantil fue la URSS y otro España. Pero, a pesar de todo, en España había frecuentemente carreras huyendo de la policía, profesores a los que se les daba en los pasillos «la carrera del señorito» y en Barcelona a algún catedrático se le defenestró, no en el sentido figurado.

En este ambiente, y quizás ayudado por la casualidad, Antonio Rodríguez de Honestrosa trabó una sólida amistad con Mario Pombo y su hermana Emilia, hijos de unos menestrales que habían conseguido subir unos peldañitos en la escala social y vivían con cierto desahogo de los beneficios que les proporcionaba la droguería que años atrás habían abierto en la calle Mesón de Paredes, en los barrios bajos. El nivel económico de los drogueros era suficiente para que su hijo, el estudiante de Derecho Mario Pombo, pudiera vivir fuera de la familia en una especie de estudio de la plaza de Chueca que compartía con otro estudiante, Benjamín Pérez, independencia que no había conseguido, a pesar de insistir en ello, Antonio Rodríguez de Honestrosa, quien, aunque vivía en el palacio de Trespasos y algunas temporadas en el caserón de la calle Santa Isabel, envidiaba el estudio de su amigo Mario, los pósters revolucionarios que adornaban las paredes, los colchones tirados por el suelo que cumplían la misión de sofás y las reuniones que se prolongaban hasta altas horas de la madrugada, en las que se hablaba más de lo humano que de lo divino, se consumía ginebra barata, muy de tarde en tarde se fumaba algo de marihuana —entonces era una novedad entre el elemento universitario— y en el que una noche contaron con un invitado de lujo: Raimon, que cantó «El carré blanc» y algunas cosas más.

Nadie consideraba muy perspicaz a David Trespasos, ni siquiera él mismo, pero, por poco despierto que fuera, alguna fuerza tiene el instinto paterno, y esa situación que atravesaba su hijo Antonio no le pasaba inadvertida.

El marqués y sus tres o cuatro amigos íntimos se habían convertido en clientes asiduos del «Victoria Club», donde ocupaban casi siempre la misma mesa, y, sin necesidad de ponerse de acuerdo, se presentaban pasada la media noche por allí, en la seguridad de que a alguno encontrarían. Como ya he dicho, la especialidad del local eran los cangrejos de río, y a esas horas —durante el almuerzo y la cena había platos convencionales— solían precederse de un exquisito consomé y rematar con tortilla al ron. Pero lo verdaderamente importante del «Victoria Club», aparte la belleza y el trato distinguido de las mujeres que podían encontrarse, era que fue uno de los primeros locales de Madrid en tener a disposición de los clientes, después del larguísimo bache de la guerra y la posguerra, whiskys Ye Monks y Chivas. Las noches en que en la tertulia de Trespasos había pleno, nunca más de seis, y dos o tres señoritas, cuando a las dos o dos y media se cerraba el local, tenían bula los marqueses para continuar la reunión en uno de los comedores reservados.

Una de aquellas madrugadas, a las cuatro pasadas, ya muy cerca de las cinco, David Trespasos, de vuelta del «Victoria Club», en vez de dirigirse a su dormitorio —desde hacía años la marquesa y él ocupaban habitaciones distintas— se dirigió al de su hijo, se sentó en el borde de la cama y le despertó.

—A esos condiscípulos tuyos, tan interesados en el *Che* Guevara, en Bakunin y demás... —le dijo con la voz algo estropajosa por el whisky—, ¿les hablas de tu ascendencia aristocrática?

La ginebra del estudio de Mario Pombo era quizás más perniciosa que el whisky del «Victoria Club», pero no obstante, el padre y el hijo conseguían entenderse.

—No lo oculto, papá. Pero también es verdad que al que es mi verdadero amigo, Mario Pombo, le he dicho que no lo divulgue, que no insista en comentarlo. No me avergüenzo de ti ni de nuestros abuelos, papá, pero me da corte saber quién soy hablando de lo que allí se habla.

—Cuidado, hijo... Estás a punto de convertirte en un hombre doblemente falso.

—¿Qué dices, papá?

—... Casi podría decir que, sin darte cuenta, te estás convirtiendo en un hombre inexistente. Doblemente inexistente. Aquí, en casa, no eres un joven ácrata para el que el máximo valor es la esperanza, aún por encima de la utopía. Pero, como vives entre ese grupo de ingenuos revolucionarios, y te disimulas, tampoco eres un aristócrata, heredero de glorias ancestrales...

Estas últimas palabras le costó un trabajo ímprobo pronunciarlas de manera inteligible al marqués de Trespasos. Pero continuó, ante el silencio de su hijo, que no sabía qué decir.

—Si tú, Antonio, hubieras tenido, como Wilhem Meister, madera de comediante, quizás te hubieras encontrado muy a gusto fingiendo aquí, entre tu familia, que eras un noble sin más preocupaciones que las inherentes a tu estado social, y entre tu grupo de condiscípulos más o menos revolucionarios, que estabas absolutamente convencido de sus principios y dispuesto a seguirlos hasta las últimas consecuencias. Pero te ocurre lo contrario, no lo niegues... ¿Te duermes?

—No, papá; te escucho con interés, porque, efectivamente, estás analizando muy bien mi problema.

—Te ocurre que no tienes madera de comediante, como Meister, sino consciencia de que careces de aquel talento.

—No quiero ser un comediante. Quiero ser yo mismo.

—Exacto. Te parece que ésa es la única manera de desenvolverse en la vida.

—Sí.

—Pero al mismo tiempo te confiesas a ti mismo que no sabes cómo eres. No tienes no ya la inseguridad de no saberlo, sino la seguridad de que no lo sabes. No me digas que no te estás durmiendo...

—Que no, papá.

—Tienes ginebra aquí, en tu cuarto, ¿verdad?

—Sí, en el cajón del armario. En una caja de dulce de membrillo.

—Anda, ponte una copa y sígueme escuchando un poco más. A pesar de todo, en tu interior late el convencimiento de que es necesario saber cómo se es...

Antonio Rodríguez de Honestrosa había sacado del armario la botella de ginebra.

—Sí, es verdad.

—Dame también a mí un poco de ginebra.

—No tengo más que este vaso, el de los dientes.

—A morro, es lo mismo. Esto que a veces le preocupa a uno tanto, puede ser simplemente el «nosce te ipsum» de los antiguos. Quizás. Pero ¿qué hacer para seguir el sabio consejo? Tú no eres muy locuaz, Antoñito, pero tu madre y yo hemos comentado que últimamente, durante el almuerzo, hablas mucho de ese compañero de estudios tuyo, Mario Pombo, y de su hermana. ¿Hay algo de amor, Antoñito?

—No, papá. ¿Por qué dices eso?

—Tu madre, cosas de tu madre. El otro día explicabas que ese tal Pombo estaba muy seguro de lo que pensaba: la idea, los principios ácratas, la ética libertaria habían sido aplastados por la fuerza de las armas y del dinero.

—Sí, eso piensa. Y también que la razón, para cualquier persona consciente, está del lado de los grandes pensadores revolucionarios. Otra cosa es el interés o la conveniencia de cada uno.

—Ya, ya. Pero hiciste una observación que parecía revelar en ti cierta envidia. Dijiste que todo eso que Pombo pensaba era lo mismo que expresaba en los pasillos de la facultad, en su estudio de la plaza Chueca con los amigos y en su casa, ante sus padres y su hermana. De cualquier forma, a tu madre le preocupa más que estés enamoriscado, así dice ella, de esa chica.

—Tranquilízala, no hay nada de eso. Pero sí has acertado en algo: tengo envidia de mi amigo Mario Pombo —la ginebra le soltaba la lengua—. Porque tiene más talento que yo, no por otra cosa. Y el talento es el arma más útil para conocerse, para saber el lugar que ocupa uno en el mundo, entre los demás.

La inútil conversación se prolongó durante un buen rato, hasta que David hubo de reconocer que también a él le vencía el sueño. Aquel intercambio de confidencias no había servido para nada. En lo que recorría los pasillos del caserón de la calle Santa Isabel, al marqués se le aparecía la imagen de un castillo, de una fortaleza o de una muralla. Fuera estaba él, que era una mesnada atacante; dentro, su hijo Antonio que, armado de una ballesta, se defendía desde una aspillera. La comunicación, el contacto, eran imposibles. Y era Antonio, precisamente, el que él había elegido como predilecto, aunque no supiera decirse a sí mismo por qué. Quizás porque era el de más parecido físico con él. El mayor le trataba con desprecio que no conseguía ocultar y que el padre, David Trespasos, percibía claramente. Uno de los temas de las escasas conversaciones que mantenía con su mujer era este de que los hijos no acompañaban tanto como ellos se habían imaginado.

Las relaciones con su mujer, cerca ya de los veinticinco años de matrimonio, las bodas de plata, eran elegantes. Nada más. Y nada menos, porque otros de su misma clase social iban de escándalo en escándalo y comenzaban a dar pasto a la «prensa del corazón». En la plenitud de sus treinta años había cometido el marqués numerosos adulterios sin importancia, de escasísima duración, algunos con amigas de la marquesa y la mayoría con profesionales. Por estos años la marquesa sólo cometió dos: uno con un joven condesito andaluz y otro con su masajista. Pero cuando el marqués se lió con la *vedette* de revista Áurea del Olmo y se exhibió con ella en el «Victoria Club» y en algunas corridas de la feria de San Isidro, aunque acompañado unas veces de Medinilla y otras de Solís el del banco, como todos los de la pandilla llamaban al marqués de Casamala, la marquesa, después de tres o cuatro broncas de interior, se pasó en la revancha, se soltó la melena y durante unos meses estuvo a punto de dar que hablar. Pero al fin prevaleció su decisión de guardar las buenas formas.

Por la época en que tuvo lugar la conversación nocturna entre el padre y el hijo que he referido más arriba, David Trespasos tenía como amante oficial a una de las mujeres más guapas de Madrid, Marta «la de las perlas», alta, esbelta, con glúteos firmes, siempre insinuantes bajo la seda del vestido —el rojo oscuro era su color predilecto— la cabellera de un rubio escandaloso, cuello quizás un punto excesivamente largo, como el de algunas madonas, pómulos salientes, ojos grandes, de color miel, sonrisa siempre insinuada y risa abierta, provocativa y desvergonzada, mensajera de toda clase de placeres. Marta «la de las perlas» estaba mantenida por David Trespasos, pero acudía a veces al «Victoria Club» donde tenía muchas amigas, aunque nunca aceptaba acompañar a ningún caballero. Era sólo una cliente que iba allí a pasar el rato, como algunas otras.

De los amigos que un cuarto de siglo atrás habían asistido a la despedida de soltero, dos ya no eran de la pandilla. Colás Yáñez, «Colasín», que tenía una farmacia en el corazón del barrio de Salamanca, y diez o doce edificios de apartamentos en las mejores zonas del nuevo Madrid, había muerto diez años antes, algunos dicen que suicidándose cuando no consiguió remediar su impotencia. El otro que faltaba, Apolonio Pita Sánchez, marqués de Goodney, se había casado con una riquísima uruguaya y vivía en Montevideo. Se veía con los viejos amigos una vez al año, cuando en enero el matrimonio uruguayo hacía un viaje por Europa. Además de Medinilla, quedaba Solís el banquero, un hombre que trataba de disimular con trajes italianos de seda salvaje, que se hacía en la misma Roma, y camisas, corbatas, zapatos siempre de lo mejor, el desgraciado aspecto que la naturaleza le había dado, ya que era chaparro, con pobladísimas cejas, tez áspera y oscura y dos verrugas en lugares demasiado visibles de la cara y la mirada ligeramente estrábica. A ellos se había unido, ya era de los que no faltaban casi nunca, el conde de Umbría, algo más joven que los demás y también más alto y de natural elegancia. En su juventud fue un hombre apuesto, que sabía charlar con las mujeres, por la seguridad que le daba su planta. Como pasaba muchos días en su finca de Boadilla, tenía la tez bronceada incluso en pleno invierno. En las reuniones del «Victoria Club» no era muy locuaz; se limitaba a escuchar a los demás y a celebrar con grandes risotadas las gracias de Medinilla. Su mujer, la auténtica condesa de Umbría, —él era consorte—, había adquirido la costumbre de no salir casi nunca de noche, para dejarle a él campo abierto. Era una de esas esposas, tan escasas, que se ufanaban de los éxitos amorosos de su marido y los consideraba un hecho natural. Umbría, como todos los conocidos le llamaban, era abogado, con bufete abierto, y ganaba un buen dinero, gracias al prestigio que le daban sus relaciones con la nobleza.

El ambiente de cócteles, cacerías, almuerzos y cenas más o menos numerosos en el palacio de Trespasos y en las residencias de otras amistades, que «devolvían atenciones», no divertía nada al joven Antonio, y tanto su madre como su padre lo advertían.

En cuanto al mayor, Alberto, se limitaba a no asistir. De su hijo Antonio, le llamaba la atención a David Trespasos, de una manera destacada, que fuera voluntarioso. Que quisiera, que quisiera algo, aunque no supiera precisar qué. Él, ya en los cincuenta años, no quería nada, no lo quería de manera concreta y, por lo tanto, nada había sacrificado para obtener otra cosa. Pero su hijo Antonio aún tenía voluntad.

La voluntad —él, David Trespasos, lo sabía— es algo que puede ir disolviéndose al cabo de los años, de los acontecimientos de nuestras vidas. A veces, también, es algo que se entrega a otra persona. Hay quienes por la fuerza de su voluntad llegan a hacer grandes cosas. No creía que su hijo Antonio fuera de ésos. Y lamentaba que el muchacho no cayera en la cuenta de que en la pérdida de la voluntad puede encontrarse un gran reposo.

A duras penas, muy ayudado por los amigos de papá y gracias, sobre todo, a las múltiples gestiones del correveidile Medinilla, Antonio Trespasos concluyó la carrera de Derecho. Esto abría unas leves esperanzas al horizonte económico de la familia, que precisaba arrojar lastre. De toda la familia, sólo la hermana de David, la odiada Raimunda, era quien, gracias a una administración rigurosísima —indigna de una aristócrata, según el parecer de David—, tenía una economía no brillante, pero asegurada.

Alguna vez Eulalia le había pedido que no tratase a su hermana de una manera tan evidentemente descortés, porque podía llegar el momento en que fuese la única persona a la que pudiesen recurrir.

—¡La última! —replicó David Trespasos.

Pensaba que su hermana quizás habría estado dispuesta a prestarle ayuda si hubiese sido necesaria, pero precisamente para humillarle.

6

El ascensor de los borrachos.

Mayo del 68 —un hito ya en la Historia Universal— en España no tuvo casi ninguna repercusión. El dictador, el general Franco, estaba sentado en su sillón de El Pardo de una manera mucho más firme que De Gaulle en el Elíseo. El fracaso de la revolución estudiantil —digo estudiantil porque los obreros y los comunistas no prestaron su concurso— atizó el fuego de las discusiones entre los Trespasos, hijo y padre.

Según el marqués, la actitud de Antonio era disparatada. ¿Qué idea era aquella que su amigo Mario le había metido en la cabeza y que él parecía dispuesto a defender, aun después del estrepitoso fracaso de París? ¿No sabía, por la prensa, la radio, la televisión, que todos los revolucionarios se habían dado a la fuga ante la llegada no de la policía, sino de los jóvenes burgueses que en grandes masas avanzaban con paso firme hacia los reductos de una imposible acracia?

David Trespasos, por encima de todo, lo que deseaba era que su familia, su palacio, su casa de la calle Santa Isabel, conservaran algo de su estilo de vida. Los militares, los curas, los falangistas les habían comido la partida a ellos, a los monárquicos, a la nobleza, que eran los que se habían pasado conspirando los cinco años de la Segunda República.

—Pero sin asociaros con todos ésos, o con algunos —le reprochaba el chico—, no habríais podido sacar la casa a flote.

¿La hemos sacado?, quería decir el silencio en que se encerraba el padre.

Dos o tres veces había pedido David a su hijo que le acompañara al «Victoria Club» para que viera cuál era la diversión nocturna habitual de su padre. Luego, de regreso a casa, los dos se divertían aún más comentando los defectos de los amigos de David Trespasos: Umbría, los hermanos Lechuga, Solís el del banco, Medinilla. Este último en realidad era un gorrón, aunque servicial y servil, y se creía más gracioso de lo que era; algunas veces había que pararle los pies. Umbría, en sus larguísimos silencios, parecía un hombre de escayola al que hubieran barnizado con chocolate; permanecía en silencio porque no tenía nada que decir, simplemente reposaba por dentro y por fuera. Solís el del banco, hombre riquísimo, resultaba ridículo en su exagerada avaricia; algunas noches, con la disculpa de una ligera molestia de estómago, no bebía nada para no pagar las copas. Entre las mujeres del local se comentaba que había que sacarle el dinero como quien saca agua de un pozo.

Poco antes o poco después de mayo del 68, ahora no lo recuerdo bien, vino un filósofo y economista francés, Marcel de Bovery, a dar una conferencia en la facultad de Económicas. Este profesor era conocido internacionalmente por sus ideas de un liberalismo económico extremado, lo que podía considerarse opuesto a la economía autárquica de Franco, y el anuncio de su conferencia despertó gran expectación. Mas a la mitad de su disertación, y cuando ya había quedado suficientemente clara la tendencia liberal, ligera modernización del pensamiento utilitarista de Bentham y de la teoría del beneficio, empezaron a aparecer banderas negras en el aula magna y, ante el desconcierto del liberal francés, un grupo muy nutrido de estudiantes entonó «La Varsoviana» con su letra española:

Negras tormentas agitan los aires,
nubes oscuras nos impiden ver.
Aunque nos espere el dolor y la muerte,
contra el enemigo nos llama el deber.
¡Alta la bandera revolucionaria...!

El economista filósofo liberal francés, sin abandonar su disertación miró a derecha y a izquierda, al decano de la facultad y al profesor de Historia de la Economía, que habían hecho su presentación. Seguían apareciendo banderas negras y más voces masculinas y femeninas se sumaban al cántico. Podían haberse opuesto los estudiantes franquistas, pero no lo hicieron porque su tendencia tampoco era la liberal utilitaria que defendía el francés. En cuanto a los pocos que podían haber estado de acuerdo, los demócratas cristianos y los socialdemócratas que pocos años después resultarían abrumadora mayoría, entonces eran unos muchachos discretos, correctos, silenciosos y minoritarios. Así, el profesor foráneo pudo escuchar:

¡A las barricadas, a las barricadas,
por el triunfo de la confederación!

Repitió el profesor las miradas a sus compañeros de mesa; pero esta vez recogió los folios de su conferencia y emprendió la retirada. Los profesores españoles le dieron escolta. Los estudiantes, los de derecha, los de izquierda, los comunistas y anarquistas, los neutrales, le despidieron con una pita ensordecedora. Le siguieron después, abucheándole, por los pasillos y el vestíbulo, hasta la salida. Algunos le arrojaron libros de texto a la cabeza, otros encontraron alguna piedra y también se la arrojaron. La policía no había recibido petición de intervenir y no lo hizo. Pero ya fuera de la zona universitaria, cuando los estudiantes rodearon el coche del orador y le siguieron por la carretera, con insultos a su persona, a De Gaulle y a Francia, cargó contra ellos y hubo espantadas, carreras, y agresiones mutuas. También hubo unas cuantas detenciones, entre ellas las de Mario Pombo y Antonio Rodríguez de Honestrosa.

* * *

Aquel día había sido muy tranquilo para David Trespasos. Pasó la mañana en el palacio y su chófer

76

le trajo después de comer a Madrid, al piso que en la calle Ferraz le había puesto a Marta «la de las perlas». Cenaron muy a primera hora en Horcher y fueron a un cine; dejó de nuevo a Marta en su casa y él se marchó a tomar unas copas al «Victoria Club». Allí, en cuanto salió del ascensor —exclusivo para el local y que llegaba hasta el vestíbulo—, el botones le dijo que la telefonista tenía un recado urgente para él. La policía había detenido a su hijo Antonio. Se dirigió rápidamente a la mesa de «los ricachondos» —así les llamaban las asiduas— para trasladar el problema a Medinilla, al que encontró con el resto del grupo, pero borracho como una cuba. Eso no era grave; cuando Medinilla debía desarrollar actividad sería a la mañana siguiente. David se lo llevó casi a rastras. Medinilla intentó abrazar a una señora que estaba en una mesa con su marido; David consiguió evitarlo y llegar al vestíbulo, frente al ascensor, donde ya esperaban dos o tres clientes que se retiraban. Medinilla se apoyó en la espalda de unos de ellos, a punto del vómito. Muy correctamente, Alvarito, el *maitre,* se acercó a David Trespasos.

—Señor marqués, perdóneme, pero es mejor que bajen ustedes en el otro ascensor. El señor Medina se encuentra muy mal.

«El otro ascensor» era un eufemismo para denominar al montacargas cuando debía ser utilizado por algún cliente.

Entraron los dos «ricachondos» en el montacargas, y en cuanto se puso en marcha, Medinilla soltó la vomitona.

Como suele suceder, su estado mejoró algo. Debía llegar cuanto antes a su casa, cerca de la plaza de Oriente —descendía de servidores de palacio—, para que pudiera levantarse temprano y emprender las gestiones necesarias. Estas gestiones, es obvio decirlo, dieron el resultado apetecido y poco antes de la hora de comer, Medinilla y el joven Trespasos salían del sórdido edificio de Gobernación.

El zascandil Medinilla tenía sus ideas, aunque pudieran resumirse todas en que no convenía tener

ninguna, y trató de sumar a su bando a Antonio Trespasos. Fue inútil. Antonio consideraba que lo que
había hecho estaba muy bien, que lo que había dicho
el filósofo liberal utilitario estaba muy mal, que las
cargas de la policía estaban peor y que la gestión de
Medinilla era muy de agradecer, pero que una sociedad que permitía que él, por ser un Trespasos, estuviera ya en la calle, mientras otros estudiantes estaban en los sótanos de Gobernación, era un sociedad
injusta, reprobable y anticristiana. Medinilla, al tiempo que conducía el coche, hizo un esfuerzo por replicar con un chiste, pero le fue imposible.

Aquella tarde en el palacio de Trespasos transcu-
rrió casi en silencio, con el hermano mayor ausente,
las hermanitas encerradas en el cuarto de una de
ellas y el culpable paseando por el campo. Rompió el
silencio la visita, que el marqués no pudo eludir,
aunque lo intentó, de su hermana, que tuvo por
único objeto martirizarle con saña repitiendo una y
otra vez que no sabía educar a sus hijos, que era un
padre irresponsable, que no sabía gobernar una
familia. ¿Así pensaba defender el patrimonio, obligación que le correspondía a él como jefe de la casa,
permitiendo que uno de sus hijos fuese un revolucionario y un conspirador contra el régimen? Más de la
mitad del discurso de su hermana no llegó al cerebro del marqués, pero le bastaba con contemplarla,
con tenerla cerca, con advertir los destrozos que el
paso del tiempo había producido en su rostro, para
sentir una profunda repugnancia, algo que casi
podría considerarse como muy parecido al asco.

La marquesa, Eulalia, Lali, no solía exponer sus
opiniones durante el día, especialmente cuando
éstas eran contrarias a las de su marido y podían
servir para mortificarle. Prefería reservar sus pensamientos —que a David Trespasos siempre le parecieron superficiales o totalmente equivocados— para
atormentar a su marido cuando éste ya estaba en la
cama y a punto de hilvanar el sueño. Entonces era
cuando ella solía entrar sigilosamente en el dormitorio y tras un amenazador:

—David, tenemos que hablar...
comenzaba la implacable tortura que, en el mejor de los casos, podía durar una o dos horas. La noche del día siguiente al de los sucesos de la facultad de Económicas, en el careo entre padre e hijo, ambos mantuvieron posiciones irreconocibles.

—Papá, tú tienes muchas influencias. La familia las tiene. Somos gente de apellido. Tus amigos, Medinilla, y el banquero, y el conde, y también los dueños del «Victoria Club», y tanta gente más. Un primo nuestro es ministro. Y todos sois amigos de Perico Chicote, que todo el mundo sabe lo bien que cae en El Pardo...

—Sí, es verdad. Todo eso es verdad. Pero ¿adónde quieres ir a parar?

No hizo caso el chico a la pregunta del padre y siguió con su párrafo anterior.

—La alcahueta que le busca menores al ministro de Costas y Ferrocarriles, te busca chicas a ti.

—...

—Y con tantas influencias, y otras más que necesitaríamos la noche entera para enumerarlas, ¿no habéis podido conseguir que pongan en libertad a mi amigo Mario Pombo?

Han pasado muchos años desde entonces, desde aquel enfrentamiento, pero todavía no sabe David Trespasos de dónde sacó la energía interior necesaria para responderle a su hijo:

—No hemos querido.

Recordaba cierta sorpresa en la mirada del hijo, como si no creyera capaz a su padre de aquella firmeza, de aquella frialdad en la respuesta y en el modo de sostenerle la mirada.

—Lo suponía. Yo soy tu hijo. Pienso lo mismo que Mario Pombo. Pero Mario Pombo no es tu hijo. Ésa es la ley de nuestra sociedad, de vuestra sociedad. La ley de la sangre.

David consiguió mantenerse firme.

—Llámala como quieras, Antonio; pero tienes razón: es nuestra ley. Pero los hombres, por encima de todo, son seres libres; si tú no la quieres aceptar, no la aceptes.

Estaba pensando David Trespasos que quizás acababa de ponerse demasiado trascendente, lo que no era su costumbre, cuando, sonriendo, le dijo su hijo Antonio:

—No te pongas trascendente, papá. No te va.

Era cierto que David Trespasos tenía todas aquellas influencias a las que se había referido su hijo. Pero él, Antonio, también podía utilizar algunas y así lo hizo, a espaldas de sus padres, para que Mario Pombo saliera cuanto antes de la cárcel. Y el 14 de septiembre, día de San Ferreol, pudieron celebrar con una cena de amigos el cumpleaños de Antonio.

Pero la gran sorpresa del día se la llevó Antonio por la mañana, al despertarse, cuando por indicación de su madre, se asomó al balcón de su dormitorio y descubrió en la explanada de acceso al palacio un coche deportivo, descapotable, un Jaguar fuera de serie, dificilísimo de conseguir en aquellos tiempos, no sólo por su precio, sino por su escasez y la dificultad de los permisos de importación. No comprendía Antonio quién podía haber llegado en aquel coche sensacional, ni qué podía significar la sonrisa enigmática de su madre.

—No ha llegado nadie. Es tu regalo de cumpleaños.

7

Empieza este capítulo con referencias a la arquitectura y a la decoración de interiores y termina con un desmayo y fieras en libertad.

Ela ala sur del palacio de Trespasos se diferenciaba bastante del ala norte, donde estaban situados el gabinete y alcoba que ocupaba el marqués. La arquitectura curva de estas últimas habitaciones, el entelado en seda a franjas azul pálido, el mobiliario estilo Luis XVI obedecían al capricho de la cuarta marquesa de Trespasos que a mediados del siglo XIX había incluso reformado la estructura del edificio en aquel ángulo porque la arquitectura herreriana le parecía inhumana, fría y anacrónica.

Por contra, el ala sur conservaba el estilo inicial del palacio, la sobriedad del Renacimiento español. Las habitaciones de la marquesa eran mucho menos femeninas que las del marqués, que cuando decidió aislarse las eligió porque se hallaban en la planta baja. Según un decorador famosísimo, inglés, que visitó el palacio en los años cuarenta, las habitaciones de la marquesa eran un modelo de elegancia y señorío. Pero a pesar de la deliberada escasez del mobiliario, se encontró un sitio para colocar un televisor y otro para el teléfono, cuyos timbrazos acaban de herir los oídos de la marquesa, que desayunaba apaciblemente.

—¿Eulalia? Soy David...

—Ya te oigo.

La sequedad de la marquesa fue correspondida con aspereza por parte del marqués.

—Perdona que te llame, pero ha vuelto Rosi Valles...

—¿Quién es ésa?

—La señorita que vino hace unos días recomenda-
da por los Casapiedra.

Exageradamente escandalizado, añadió David:

—¿Qué dirás que me ha propuesto? ¡Que alquile-
mos el palacio para rodar una película!

Eulalia se desató en improperios, palabras malso-
nantes, insultos.

—¡Si otros quieren perder la dignidad —vociferaba la marquesa—, y que les dejen la casa hecha una
pocilga, allá ellos! ¡No me sorprende que el marica
de Baraola alquile esa jaula que llama chalé, porque
se va los veranos a Holanda y se lo gasta todo en
marineros! ¡Con mi permiso no contéis!

Ante la presencia de Rosi, el marqués no pudo
evitar ruborizarse ni consiguió disimular el susto
que las palabras y la voz de su mujer le habían producido. Instintivamente apartó su oreja del auricular, como si por allí le pudiera llegar algún golpe.
Intentó hablar varias veces inútilmente, y al fin pudo
decir:

—No, no... Si no es cosa mía... Desde luego, eso le
he dicho yo...

Por señas y ayudándose de la expresión facial, el
marqués indicaba a Rosi que era terrible lo que estaba oyendo.

—Pues claro... Sí, sí...

La marquesa debía de haber hecho una pausa
para tomarse un respiro, porque el marqués pudo
decir:

—De acuerdo, de acuerdo... Bueno, tranquila,
tranquila, no te preocupes —y colgó el aparato.

Ya lo había colgado la marquesa, y volvía hacia la
mesa en que tenía el desayuno, rezongando:

—Que no me preocupe, que no me preocupe... Si
yo no me preocupara, esto acabaría siendo una
zahúrda.

Iba a sentarse a la mesa, cuando lo pensó mejor y
fue hacia su bolso, sacó de él una papelina y, como
se había puesto nerviosa, decidió completar su desayuno.

Rosi Valles se levantó y preguntó fatalista:

—¿Qué ha dicho?

—Se ha puesto como una fiera, es natural.

—Sí, los del cine no tienen muy buena fama —comentó Rosi, resignada.

—Eulalia está bien enterada desde que hace años son muchos los amigos nuestros que alquilan para películas los palacios y los chalés.

—Ya se lo he dicho yo.

—¿Y por qué los alquilan?

—A veces porque necesitan dinero, a cualquiera puede ocurrirle, y a veces para satisfacer cualquier capricho: otro abrigo de visón, un viaje al Caribe...

—Dice Eulalia que si quieren perder la dignidad, y que les dejen la casa hecha una pocilga, allá ellos.

—Me parece bien; no le quito la razón.

David Trespasos se creció, se enrojeció el blanco de sus ojos, casi se puso a tono con la iracundia de su mujer cuando gritó:

—¡Es que esta vez la tiene!

Rosi intentó tranquilizarle.

—Sí, sí, no digo que no. Es una opinión perfectamente comprensible.

—¡Pues claro! —insistió irritado el marqués.

—¿En resumen? —preguntó con sentido práctico Rosi, que conservaba la serenidad.

Menos sereno que su interlocutora, con semblante adusto y un trémolo nervioso en su voz, respondió David:

—¡En resumen, y tanto Eulalia como yo, nos negamos en redondo! Y, por mi parte, le digo que no sé cómo se le ha ocurrido a usted venir con semejante oferta.

La muchacha rió procurando parecer simpática, divertida, para quitar hierro y no enconar la situación.

—No es usted la primera persona que reacciona así, no se vaya a creer.

—Ya me lo imagino.

—Hemos hablado hace un momento de unos cuantos amigos que han prestado sus casas.

Rápido, enérgico, el marqués la corrigió:

—¡Alquilado!

—Sí, es verdad, alquilado. Hablábamos de algunos conocidos de ustedes que han alquilado sus casas para hacer películas, y yo podría hablarle de los que me han mandado a freír monas. También son muchos. Pero yo vivo de esto, ya lo habrá usted comprendido.

—Desde luego —respondió con sequedad Trespasos.

—Y no tengo más remedio que mojarme. Y, si no se ríe usted de mí, le diré una cosa.

—¿Por qué voy a reírme?

—A mí sólo de pensarlo ya me da la risa.

—¿De qué se trata?

—Tengo otra oferta.

—¿Otra?

—Sí, y se la voy a decir si me promete usted no enfadarse como antes.

—Prometido, Rosi.

—Pues ahí va: se trata de poner aquí una casa de fieras.

El marqués había prometido no enfadarse y cumplió su promesa, pues se limitó a recorrer con la mirada su gabinete y alcoba y preguntar inexpresivamente:

—¿Aquí?

—En la finca —aclaró Rosi—. Un parque zoológico. Pero sin jaulas ni rejas ni ninguna de esas cosas. Fieras en libertad. Supongo que ya sabe lo que es eso.

—Sí, creo que sí.

—Según los informes que hay hasta ahora, Trespasos reúne las condiciones necesarias. No se utilizaría para nada el palacio; las fieras estarían alrededor.

David, tranquilo, apaciguado, volvió a sentarse.

—¿Ve usted, Rosi? Eso ya es otra cosa. Eso sí se puede tomar en cuenta.

—¿No le parece mal en principio? ¿Por lo menos como base para iniciar unas conversaciones, conmigo o con el director de Gemsa, si usted lo prefiere?

El marqués había encajado la nueva oferta como si fuera la cosa más natural del mundo, y, para empezar, le parecía muy bien seguir conversando con Rosi, pues se había establecido entre ellos cierta confianza y prefería eso a verse obligado a conocer gente nueva. Ya habría tiempo para ello si los primeros tratos se iniciaban bien. Una de las razones por las que la nueva oferta no le había parecido disparatada, afirmó, era que las fieras siempre habían andado cerca de la nobleza. La heráldica estaba llena de leones, tigres, toros, jabalíes, elefantes, lobos... El escudo que a sus antepasados había concedido el buen rey Carlos III consistía en tres pies calzados y con espuelas en campo de gules. Pero David, cuando niño, lamentaba que en él no hubiera alguna fiera, alguna alimaña, una pantera, un dragón... Porque aquello de los tres pies, aunque comprendía que se trataba de significar las tierras de Trespasos, le parecía poca cosa. El yelmo que remataba el escudo era abierto, como correspondía a una nobleza no de linaje o de sangre, sino otorgada por el rey, aunque con el tiempo ya había pasado a ser nobleza de sangre, si se la consideraba con buena voluntad. Así se conservó el escudo desde el siglo XVIII hasta el matrimonio de David con Eulalia, que exigió —y estaba en su derecho— que el escudo se transformara en escudo cortado, ocupando la parte superior los tres pies calzados y con espuelas de la familia del marido y la inferior el jabalí en campo de sinople, que, según investigaciones exhaustivas y muy costosas, encargadas por el padre de Eulalia, eran el distintivo de la familia Moranes desde el siglo XVII, reinando el aburrido Felipe III. El tener una fiera en su escudo debía haber colmado los deseos de infancia de David, pero no fue así porque le llegó tardíamente, en una edad en la que al marqués esos pormenores ya le tenían sin cuidado. Pero en principio la oferta de la señorita Rosi Valles no le parecía mal. Recordó que Griñón ya tenía algo parecido, aunque, según le hizo observar Rosi, el safari de los Griñón estaba en la zona sur de la autonomía, mucho menos prestigiosa que la zona norte. Sin dejar de hacer propaganda de su oferta, que a eso había venido, Rosi rebuscó en su bolso y encontró en él una carpetita con unos folios que contenían algunos datos. Nada definitivo, porque los pormenores tendrían que tratarse con los técnicos y los administradores de la empresa alemana —lo de que la empresa de que hablaba la muchacha fuera alemana al marqués le parecía muy bien, pues, como una gran mayoría de españoles, sin que se sepa a ciencia cierta por qué, y a pesar de los desastres que han causado, a los alemanes los consideraba gente seria, muy formal. Si al marqués le interesaban algunos de aquellos datos previos, la «relaciones públicas» estaba dispuesta a leerle por encima lo más interesante del pequeño «dossier». Al marqués le pareció muy aceptable la idea, y, cómodo y satisfecho, encendió un pitillo, al que cortó un trocito y después introdujo en una boquilla de plata y se dispuso a escuchar la cuartilla que Rosi por fin había localizado y en la que estaba la síntesis del negocio, lo que se debía admitir o rechazar en principio. Si se llegara a un acuerdo entre Trespasos y Safarisa —éste era el nombre español de la empresa alemana que se dedicaba a la instalación y explotación de safaris, de parques zoológicos «fieras en libertad»—, fecha del inicio de las obras de adecuación, dentro de un mes; fecha de conclusión de las obras, cuatro meses después. El marqués, que no pareció ver en este planteamiento nada recusable, asintió con leves movimientos de cabeza y murmuró:

—Muy bien, muy bien...

—Inauguración: sin asistencia de las infantas, quince de julio; con asistencia de las infantas, pendiente.

Con el mismo ritmo adquirido en el sucinto comentario anterior movió afirmativamente la cabeza el aristócrata.

—Muy bien, muy bien...

—Superficie mínima necesaria: ochenta y dos hectáreas; se utilizará el 50 por 100.

—Muy bien, muy bien...

—Animales a instalar en naturaleza: rinocerontes, dos; cocodrilos, tres; monos, dos docenas...

—Muy bien, muy bien...

—Gorilas, tres.

—¿Docenas?

—No, unidades.

—Muy bien...

—Pelícanos, cuatro; elefantes, seis; panteras, seis; tigres, nueve; jirafas, cuatro; leopardos, cuatro; leones, doce.

—Muy bien, muy bien.

Como Rosi permanecía en silencio, el marqués preguntó:

—¿Nada más?

—Anotado, no tengo nada más.

—Esto también tendré que consultarlo con la marquesa.

—Se comprende.

—Aunque no creo que vea inconveniente; siempre le han gustado muchos los animales.

—Pues por mí, puede volver a llamarla.

David fue hacia el teléfono, descolgó y comenzó a marcar.

—No tengo prisa —dijo Rosi—. He dedicado la mañana exclusivamente a esto.

La voz de la marquesa ya había respondido a la llamada telefónica.

—Hola, Eulalia, perdona que te moleste otra vez, pero Rosi Valles nos hace otra oferta...

Sentada en el único cómodo butacón de su austero y elegantísimo dormitorio, la marquesa Eulalia se encontraba en este momento en el mejor de los mundos. Unas leves sonrisas —sin motivo aparente— adornaban las comisuras de sus labios.

—¿Qué le ocurre a esa chica? ¿Quiere quedarse a vivir en el palacio? ¿No dicen los periódicos que el cine español es una mierda? ¿Cómo es que quieren hacer tantas películas?

—No, mujer. Esto de ahora no es nada de cine.

—¿De veras? Nunca has sabido ni mentir, se te notaba en la voz, que te cambiaba. Y ahora estás enredándome para llenar esto de guarras.

—No tienen que venir aquí esas guarras, no. Escucha, por favor: una empresa alemana, gente seria, nos propone hacer aquí, en Trespasos, un parque zoológico.

—Supongo que querrán hacerlo sin derribar el edificio, porque aunque sea más de tu familia que de la mía, por ahí sí que no paso. ¡Ahora ya la mitad del palacio es mía! Si quieren meter bichos, será en el campo.

—Sí, en la finca.

—Ya, ya sé lo que es eso. Fieras preparadas para safaris fotográficos y de vez en cuando los leones se comen a alguien.

—No es como tú lo cuentas. Pero en fin, sí... Animales en libertad, una especie de safari permanente: leones, leopardos, elefantes, rinocerontes...

Se interrumpió bruscamente. Rosi, alarmada, se levantó y escuchó en tensión. David colgó, tembloroso, el aparato y volvió a descolgar para marcar otro número: el de Basilio.

—¿Qué pasa? —preguntó Rosi.

—No lo sé, no lo sé —respondió David, nervioso, claramente preocupado—. Un ruido tremendo. Desde luego, el teléfono se ha caído.

—¿Y la marquesa?

David no respondió a la pregunta, porque Basilio ya estaba al otro lado.

—Dígame, señor marqués.

—¡Basilio, corre al cuarto de la marquesa! ¡Creo que se ha desmayado! ¡Anda, ve en seguida a ver qué le pasa!

Todo lo rápidamente que le permitían los años, se perdió el criado en la oscuridad de las galerías.

David Trespasos con un pañuelo de batista se enjugó el sudor de la frente. Lo que pudiera ocurrirle a Lali no le preocupaba excesivamente, pero los conflictos que a él pudieran acarrearle cualquier accidente de su mujer sí le afectaban, y mucho.

—David, ¿cree de verdad que se ha desmayado? —preguntó Rosi al marqués.

—Usted me dirá. De repente, silencio; un ruido tremendo; más silencio. ¿Qué otra explicación ve usted?

—Sí, quizás tenga usted razón.

El marqués a cada momento que pasaba se mostraba más nervioso. Rosi conservaba su indiferencia y su tranquilidad.

—Yo, la verdad, como no conozco a la marquesa...

—¿No la conoce usted?

—Hasta ahora, no.

—Pues es raro, porque ella no está recluida como yo. Va por ahí. Alterna. Podría conocerla de las fiestas, los cócteles, la vida nocturna...

—Sí, puede que las dos estemos en la misma movida, pero a distintos niveles. En esa vida es muy amplio el abanico de posibilidades.

—Bueno, si la hubiera usted conocido, comprendería por qué puede desmayarse al escuchar lo que yo le he dicho. Tiene una característica que se advierte al primer golpe de vista y que no le ha desaparecido con los años: es medio imbécil.

8

Enfrentamiento entre ancianos y llegada de dos señores que preguntan por el marqués.

Entró en el gabinete del marqués Eulalia, marquesa de Trespasos. Quizás no era ya tan medio imbécil como acababa de afirmar su marido, porque con el tiempo algo se pierde, pero tardaba casi siempre un poquito más de lo normal en comprender lo que se decía. Por lo demás, había sido una mujer bellísima y vestía siempre con gran elegancia; en aquel momento, un vaporoso salto de cama.

—Ah, perdón —dijo nada más entrar, al tiempo que volvía sobre sus pasos.

Pero su marido fue rápidamente hacia ella.

—No te vayas, Lali. Si sabías que estaba acompañado... Te he llamado para consultarte otra oferta de Rosi Valles.

Decidió Eulalia no marcharse y se acercó algo a la muchacha, para verla mejor.

—¿Tú eres Rosi? —le preguntó con una sonrisa—. Perdona, como éste no presenta a nadie... Soy Eulalia —y le tendió la mano.

—Rosi Valles Mediavilla. Me alegra muchísimo conocerla, Eulalia.

—De tú, de tú —rectificó democráticamente la aristócrata.

—Perdona, pero es que como con David nos tratamos de usted...

Eulalia explicó, sin mirar a su marido:

—Éste es muy especial, supongo que aunque le conoces hace poco, ya te habrás dado cuenta.

Solícito, sin hacer caso a la apreciación de su mujer, David se acercó a ella.

—¿Cómo te encuentras, Lali?

Con aspereza, respondió la esposa:

—¿Cómo me voy a encontrar, si acabo de darme un trastazo con la esquina de una mesa?

Se volvió hacia Rosi.

—¿Tú crees que se le puede decir a una por teléfono una cosa así? ¿Que quiere llenar la casa de bichos?

—No, no se trataba de eso —rectificó la propia Rosi.

—No son bichos, son fieras —añadió el marqués.

—Peor me lo ponéis. La verdad, yo la palabra rinoceronte es la primera vez que la oigo por teléfono. Comprendo que lleves una vida retirada, David, allá cada uno con sus manías, pero hay cosas que deben hablarse *tête-à-tête*. Todavía no estaba despierta, me pongo al teléfono y oigo: voy a traer aquí elefantes y rinocerontes.

Protestó David:

—Yo no he dicho eso así, de repente.

Sarcástica, la marquesa comentó con Rosi:

—Éste es capaz de querer que le traiga una reproducción magnetofónica de lo que ha dicho. ¿Usted es domadora de fieras?

—No, no... —rechazó Rosi, sorprendidísima.

—Pero ¿no dijo antes que era directora de cine?

El marqués intentó poner orden en el cerebro de su mujer, como tantas veces a lo largo de la vida lo había intentado.

—No, Eulalia; aquí no van a venir domadores, no se trata de poner un circo. La señorita Rosi es una intermediaria.

La marquesa no se esforzó en disimular su opinión.

—Huy, qué mal me caen a mí los intermediarios.

Para reprenderla, el marqués, que sólo se atrevió a decir en voz baja «Eulalia...», apartó de ella la mirada.

—No lo digo por esta señorita, que acabo de conocerla hace unos minutos.

—Bueno, creo yo que David ya está enterado de mi oferta —dijo Rosi para dar por resuelta la situación—... Vamos, de la oferta de Safarisa a través de Gemsa...

Se volvió, amable y sonriente, como siempre, hacia la marquesa.

—Y tú, Eulalia, poco más o menos te vas haciendo una idea... Yo, si le parece, David, mañana mismo le llamo.

—Escucha, Eulalia —interrumpió el marqués—, tú y yo nos hemos negado a que aquí se meta la gente del cine. Las guarras esas a las que tú te has referido. Después esta niña ha hablado, además, de lo otro, de lo de convertir esto poco más o menos en una casa de fieras, y yo le he seguido la corriente...

—¿Que me ha seguido la corriente? —preguntó sorprendida Rosi Valles.

—Pues claro. Ustedes son más golfos que nosotros, tienen más picardía, pero nosotros no hemos nacido ayer. Al contrario, hemos nacido hace varios siglos.

Y David Trespasos se había permitido quedarse con la pícara «relaciones públicas». Era cierto que ni a él ni a la marquesa les caían bien los del cine; principalmente los del cine español, porque eran todos gente de medio pelo. Pero eso no quería decir que les pareciesen peor que los gorilas, los cocodrilos, los rinocerontes, las jirafas, los elefantes. ¿Era posible que Rosi, a pesar de sus pocos años tan suelta, tan vivida, se hubiese creído todo aquello de «rinocerontes, muy bien; cocodrilos, muy bien; gorilas, tres docenas...» ¿Por quién había tomado Rosi Valles a David Trespasos? ¿Era posible confundir de esa manera la decadencia con la indignidad? ¿No había visto la «relaciones públicas» el órgano eléctrico, los óleos, las paredes cubiertas de libros? ¿Creía que todo aquello encajaba con los bichos de la selva? ¿Se imaginaba ella a David Trespasos, después del desayuno y el afeitado, asomándose a los ventanales para ver rascarse las pulgas a unos chimpancés o para que un elefante metiera la trompa en el gabinete y robara un cruasán?

Rosi se sentía humillada. El rubor teñía sus mejillas. Aseguró que se había dejado enredar ingenuamente por el marqués.

—¿Me tomó por un gilipollas? —preguntó Trespasos.

—¡No, de ninguna manera! Me lo creí, simplemente...

Lanzó una mirada la marquesa, como de mujer a mujer, pidiendo socorro.

—No es un gilipollas, Rosi. Es un malaleche y se ha divertido toreándote.

Rosi se levantó, dispuesta a marcharse.

—Y lo ha hecho muy bien —dijo—. Me ha dado una lección, y me mola. Es un tío legal. Y como ya está todo dicho...

En ese momento se levantó bruscamente la marquesa.

—¿Que está todo dicho? Yo no he abierto la boca.

Exclamó el marqués:

—¡No irás ahora a decir que...!

—¿Qué?

—¡Que te parece bien lo de llenar esto de bichos! ¡Porque aquí el que vive soy yo!

Se estiró la minifalda Rosi, se sacudió la melena y dijo discretamente:

—Bueno, yo creo que será mejor que cambien impresiones. Esto es algo que deben tratar entre los dos.

—¿Qué te parece, Eulalia?

Eulalia se encogió de hombros, displicente, para responder:

—Bueno, como queráis.

Al ver que Rosi Valles ya se dirigía hacia la puerta, el marqués descolgó el telefonillo.

—Basilio, acompañe a la salida a la señorita Rosi.

—No es necesario, gracias, David; creo que ya sé bien el camino.

—Hasta la vista, Rosi, bonita —esta vez la marquesa no le ofreció la mano, sino que le besó las dos mejillas.

—No deje de llamar mañana y le diremos lo que haya.

—Hasta mañana, entonces.

Pero cuando estaba a punto de salir, David la llamó.

—¡Rosi, Rosi, no se vaya!

Sorprendida, Rosi se detuvo en el umbral, ya con la mano en la falleba.

—¿Qué ocurre?

—Que se deja el cuadro.

—¡Huy, qué fuerte! Es verdad; no sé dónde tengo la cabeza.

David ya había levantado el cuadro del suelo y se lo entregó a Rosi, que casi estaba sonrojada por su olvido.

—Al fin y al cabo, es a lo que venía usted, ¿no es verdad?

Como si no hubiera advertido la aviesa intención del marqués, respondió Rosi:

—Desde luego.

Y se marchó, despidiéndose con una amable sonrisa.

En su veloz carrera, Basilio ya había llegado, aunque respirando fatigosamente, y aguardaba al otro lado de la puerta, para cumplir su misión de acompañante. Se ofreció a llevar el cuadro hasta el coche. La primera intención de Rosi fue negarse a ello, agradeciéndole el favor, pero comprendió que el viejo criado se consideraría más útil si prestaba aquella pequeña ayuda.

* * *

Cuando Rosi hubo desaparecido del todo, fundida con las sombras del lóbrego pasillo, David cerró la puerta y comentó entre dientes:

—Vaya pájara.

—¿Decías? —preguntó la marquesa.

—No he dicho nada, perdona. Creí que estaba solo.

—Siempre lo estás. Esa niña es mucho más joven que tú.

—Y que tú —y sonrió con sonrisa frailuna, como si la sonrisa se le hubiera escapado.

La marquesa aumentó el silencio; después miró, inexpresiva, a los ojos de su marido.

—¿Lo dices para estar impertinente?

David Trespasos apartó de ella la mirada.

—No, mujer.

—Es que no te va, David.

—¿El qué no me va?

—Las réplicas rápidas.

El hecho de que su mujer razonase despertó el interés de David.

—Pues ¿qué me va?

Eulalia respondió con frialdad, como si no quisiera cebarse en aquella desdichada víctima.

—Te van los discursos inacabables y amuermar a los invitados, ¿ya no te acuerdas?

Sonrió con elegancia el marido, ante los recuerdos evocados por su mujer.

—Se amuermaban los que no entendían nada de nada, como tú, sin ir más lejos.

«Es algo que deben tratar entre los dos», había dicho Rosi antes de marcharse. Y no le faltaba razón, pensó Trespasos. Qué se le iba a hacer. Apechugar con la situación.

Intentó replicar Eulalia, pero David la interrumpió con un ademán.

—¡No empecemos, Eulalia, por favor!

Cambió de tono y se esforzó en estar sereno.

—Vamos a hablar de lo que nos interesa. ¿Qué te ha parecido la segunda oferta de esta señorita?

—Creo que ya lo sabes. Primero me he desmayado, y luego, cuando he vuelto del desmayo, he llamado al psiquiatra.

David se acercó a ella, casi con ternura.

—Ya era hora de que te decidieras, Lali.

—Para que te vea a ti —aclaró la anciana marquesa.

—¿A mí? —preguntó el anciano marqués, al tiempo que retrocedía atemorizado.

—¡Pues claro! ¿Qué crees tú que hay que hacer con un hombre que quiere llenar esto de búfalos?

—Nadie ha hablado de búfalos.

Eulalia se encaró con él y gritó:

—¡Me dan igual búfalos que serpientes!

—¡Ni de serpientes! ¡Y acabo de explicar que por mi parte todo era una coña! Pero lo que la niña propone es esto...

Fue, rápido, a la mesita de centro, a recoger el papel con las anotaciones de Rosi Valles. Exaltado, lo leyó en voz alta.

—Escucha, aquí lo dice: jirafas, cuatro; elefantes, cinco; leones, doce...

Con algo de temor, le interrumpió Eulalia.

—Estás loco, David, estás loco, ¿es posible que no te des cuenta?

—¡Tú sí que estás loca! ¡Y no es por el paso del tiempo, no! ¡Llevas años majareta perdida!

No se enterneció la anciana al evocar:

—Antes decías que no era más que tonta. ¿No te acuerdas? Me llamabas tu tontita.

—Pues ya ves, te he ascendido. Escucha, Eulalia; escúchame con calma...

Al marqués no le resultaba fácil aguantar frente a frente la mirada acuosa de los ojos, diluidos en años, de su mujer. Por eso se alejó de ella y el siguiente párrafo lo pronunció paseando por la habitación.

—Tú sabes que no me gustan los bichos, los que sean. Si conservas algo de memoria recordarás que me repugnan y me dan miedo. Tampoco he sido nunca un gran aficionado al cine. Y el español me parece una horterada. Si consigo comercializar los cuadros, todo estará arreglado. Pero si no lo consigo, tendremos que recurrir a los del cine.

La marquesa permaneció unos instantes en silencio, hasta que quedase claro que el marqués había recabado su opinión.

—Cuando tú te mueras —respondió entonces—, aprenderé a tomar decisiones por mi cuenta. Pero entre tanto, ¿para qué voy a hacerlo, si siempre me llevas la contraria?

—De momento, no pienso morirme.

—Pues ya has tenido un arrechucho.

—Y desde entonces me cuido más.

Suspendió sus paseos y se dispuso a hablar a su mujer como si él fuera un maestro de primera enseñanza y en el colegio hablase a una alumna retrasada.

—A ver si eres capaz de entender algo.

—A ver, a ver... —aceptó Eulalia, siguiéndole la corriente—. Puedo sentarme, ¿verdad?

Y se sentó sin aguardar el permiso. David se sentó frente a ella.

—Aparte de lo de la pintura, he interrumpido mis trabajos históricos para dedicar ese tiempo a escribir una gran novela, una novela río. Describo en ella la decadencia de la aristocracia y la ascensión de una nueva clase.

Eulalia superó su natural simpleza para preguntar con cruel ironía:

—¿Y cómo has conseguido que se te ocurriera una idea tan original?

Al marqués de Trespasos le cegó por un instante su vanidad y le impidió percibir la ironía. Contestó espontáneamente, feliz por su hallazgo:

—Viendo nuestro palacio.

—Y habiendo nacido aquí, ¿cómo has tardado tanto tiempo en hacerte novelista?

—¿Te estás cachondeando?

—Sí.

—¡Pues cuando tengas tú una idea mejor que esa de la decadencia de la aristocracia, te la compro!

—No tengo inconveniente.

—Cachondéate todo lo que quieras, no voy a impedírtelo, porque no creo que sepas hacer otra cosa. Pero tanto lo de los cuadros como lo de la novela puede significar mucho dinero, mucho más del que tú te imaginas.

—¿Negro?

—No, blanco.

—Entonces se queda en nada.

Airado, el marqués se levantó, y al levantarse dio un enérgico golpe con la silla en el suelo.

—¡Se quedará en nada o se quedará en mucho, pero no es a eso a lo que voy!

—Pues ¿a qué vas, si me crees bastante inteligente para comprenderlo?

—A que ese dinero no será inmediato, ¿lo vas comprendiendo? ¡Y ya no hay más créditos, se terminaron! ¡Me lo ha dicho Requena, el abogado!

Con frialdad, sin querer herir a nadie, preguntó mientras, distraída, miraba hacia otro lado, la marquesa:

—¿Por culpa de quién?

No contestó a la pregunta el marqués, sino que, implacable, siguió informando:

—¡Y las hipotecas vencen!

Ahora sí clavó la mirada Eulalia en David y elevó el tono de su voz, para afirmar con agresividad:

—¡Por tu culpa!

Pero David siguió a lo suyo.

—¡Y los del banco ya están hasta la coronilla de nosotros! ¡Me he enterado por varios conductos! ¡Vivo aislado, pero no para las desgracias, para los desastres!

Se alzó de su asiento Eulalia, ahora tan iracunda como su marido.

—¡Tú lo has despilfarrado todo!

—¡Ahora no se trata de eso!

—Pues ¿de qué se trata, ¡coño!?

—¿Quieres saberlo? ¡Pues se trata de que el dinero de los cineastas era contante y sonante y para la semana que viene! ¡Ni más ni menos!

—¿Y a mí por qué me gritas, por qué me lo reprochas? ¡Si has sido tú el que...!

—¡De acuerdo, de acuerdo! ¡He sido yo el que se ha negado, tienes razón!

—¡Claro que sí! ¿O es que ahora pretendes echarme a mí la culpa?

—De ningún modo. Pero, por eso mismo, porque lo del cine se ha rechazado, tendremos que aceptar lo de las fieras. Porque aquí ya no queda dinero ni para los víveres más imprescindibles. Basilio puede confirmártelo, si es que no me crees.

Eulalia de nuevo miró fijamente a los ojos de David. Y habló tras un silencio.

—Oye, David. Yo no estoy presa aquí, como tú: entro y salgo. Me trato con los demás, con mi familia, con la tuya..., con la nuestra; con los amigos, con los conocidos. De modo que, si no quiero, con no venir a Trespasos mientras haya fieras en libertad, asunto terminado.

Y echó a andar hacia la puerta. A David no dejó de sorprenderle el razonamiento de su mujer; como sólo la veía muy de tarde en tarde no había advertido los progresos que ya en la ancianidad había hecho su capacidad de relacionar unos hechos con otros, antes tan escasamente desarrollada en ella. Quizás era uno de esos casos de mujeres bellísimas que no son muy inteligentes pero a las que la inexpresividad que en muchos seres humanos y en muchas obras de arte aporta la belleza, hacían parecer más estúpidas de lo que en realidad eran. A Eulalia, ya con el pomo de la puerta en la mano, le quedaba algo por decir.

—De modo que como el que va a convivir con los cocodrilos eres tú, haz lo que mejor te parezca sin tomarte la molestia de consultarme.

—Gracias por el voto de confianza, Eulalia. Aunque con él echas sobre mí toda la responsabilidad.

—Luego ya decidiré yo si hay que seguir con el negocio o no.

Esta afirmación causó una leve sorpresa al marqués, que no entendió bien lo que la marquesa había querido decir.

—¿Cuándo lo decidirás? —preguntó.

—Cuando te mueras —respondió la marquesa. Salió y cerró la puerta.

Después se abismó en las negruras de los pasillos, galerías y salones, que ni ella se sabía de memoria y tenía que recorrer palpando las paredes, los cortinajes y los escasos muebles.

Durísima fue la mirada que el marqués lanzó a aquella puerta que acababa de cerrarse. Casi dio un pasito hacia ella, sabe Dios con qué intenciones. Pero en seguida se dedicó a sí mismo unos ademanes con los que se recomendaba calma, calma,

calma... Había tenido años de calma, de agresividad contenida, que casi le llevó al borde de la psicopatía. No iba a desbordarse ahora porque su mujer hubiera adquirido una leve aptitud para el manejo de las réplicas. Fue hacia el órgano eléctrico, se sentó y comenzó a tocar la *Marcha fúnebre,* de Chopin. En realidad, no sabía a quién le estaba dedicando la composición. Si a él mismo, por el augurio de su mujer. O a su mujer y a todos los muertos de la familia de su mujer, que, según ella, se remontaban al siglo XIV. Siguió tocando durante un minuto más; luego dejó de tocar y cerró el órgano.

—Por si acaso, mejor será dejar esta marcha fúnebre; no es bueno tentar al destino.

Se levantó.

—Otra vez estoy hablando solo. Últimamente hablo solo demasiadas veces.

Cuando decidió encerrarse... No encerrarse, no le gustaba ese término: aislarse; aislarse le gustaba más. Cuando decidió aislarse, se prometió a sí mismo no caer en la manía de hablar solo. Eran muchas las personas que consideraban que hablar solo era un prolegómeno de la locura y una de las cosas que se había prometido también a sí mismo en repetidas ocasiones, desde su infancia a su madurez y hasta estos años de la cercana despedida, era no volverse loco. En sus soledades pensaba, pensaba mucho, o, simplemente, recordaba, que no es lo mismo que pensar, aunque la gente ingenua lo crea. Y había conseguido durante años no hablar solo, salvo una frasecilla suelta que se le escapa de vez en cuando, o bien para insultar a algún amigo del que se acordaba de pronto —Solís el del banco, a pesar de ser un amigo asiduo, era un hombre despreciable, sin ninguna sensibilidad— o para lamentarse de los dolores de la artrosis. Pero ahora, en los últimos meses, se había sorprendido hablando solo en demasiadas ocasiones.

—Estoy harto de hablar solo —dijo en voz bien alta.

Colocó la caja de pinturas cerca del caballete, y sus propios pensamientos le hicieron sonreír. Buscaba uno la soledad, y luego no hacía más que tratar de olvidarla. Se dispuso a pintar. La de veces que se habría dicho lo mismo. Pero ¿qué podía decirse o pensar, que no se hubiera ya dicho o pensado miles de veces? Precisamente uno se encerraba, entre otras razones, para huir de las novedades, de lo imprevisto. Una brusca pincelada de castaño, muy enérgica, en la parte alta, quizás no fuera mal.

Sonaron unos discretos golpes en la puerta. David ya sabía quién llamaba.

—Adelante, Basilio.

El criado entró y anunció con voz dudosa, algo distinta a la suya habitual:

—Dos señores que acaban de llegar en un coche preguntan por el señor marqués.

—¿Dos señores? ¿Quiénes son?

Con cierta prevención, explicó Basilio:

—Dicen que son policías.

9

De película.

La visita de los policías, dos jóvenes vestidos de manera informal, que se identificaron previamente mostrando sus carnés, fue muy breve. Ni siquiera aceptaron sentarse cuando el marqués se lo ofreció. Dijeron que lo que les llevaba allí era un puro trámite, y en aquella ocasión era verdad. Sabían que el marqués de Trespasos vivía aislado, sabían que casi no recibía visitas y que hacía años que no veía a su hijo Antonio. Querían, simplemente, preguntarle si le había visto en los últimos días o si sabía en dónde se encontraba. A las dos preguntas David Trespasos respondió con una negativa, y los policías, que ya esperaban esta respuesta, se marcharon sin molestar más.

Desde uno de los ventanales, el marqués vio alejarse el coche de los policías, y llamó a su criado Basilio.

—¿También te han interrogado a ti?

—Sólo me han preguntado si el hijo del señor marqués, el señorito Antonio, venía por aquí. Y no he tenido que inventar ninguna mentira, porque yo ni siquiera le conozco... En los dos meses que llevo en la casa ni siquiera se ha acercado.

* * *

En aquella agradable mañana las cortinas del gabinete y alcoba del marqués de Trespasos permanecían cerradas. Llevaban ya bastantes días los del cine trabajando —si eso era trabajar— en la explanada y el parque del palacio.

También habían pedido permiso para hacer unos planos en las cocinas, aunque eso no estaba previsto en el contrato, y una gran panorámica —a saber lo que querían decir con aquello— del salón central; sólo una escena rodaron en el que muy antiguamente fue el dormitorio principal, ahora en desuso, donde se decía que pasó una noche el general Franco cuando la guerra. Para pasar los cables, los proyectores y los miles de útiles que pretendían necesarios para su trabajo (?) utilizaron la gran galería y los pasillos de la planta noble, más las escaleras de la zona de servicio. Pidieron también un permiso especial para colocar cuatro o cinco proyectores de enormes dimensiones sobre el tejado, con los que iluminar unos planos de noche en los que invirtieron tres días en jornadas de once horas.

Sobre la mesita estaban los restos del desayuno de David, que Basilio aún no había retirado. El marqués pintaba al óleo con una brocha de grandes dimensiones. Fruncía el entrecejo al tiempo que daba los brochazos, como si intentase trasladar al lienzo la energía de su expresión facial. Se quedó inmóvil varias veces, los brazos colgantes a lo largo del cuerpo, goteando la brocha sobre el suelo del gabinete, la mirada perdida, en silencio, fija en algún recuerdo, vagando de uno en otro o perdida en el negro absoluto de lo que veía ya como su inmediato porvenir. Cuando estaba a punto de dar un nuevo brochazo, se detuvo con la brocha en el aire y llevó la mirada hacia la puerta, porque empezaba a abrirse. Se abría con dificultad. Alguien la empujaba con un pie. La persona que empujaba, al fin entró. Era un joven musculoso, tostado por el sol. Llevaba unos pantalones vaqueros y estaba desnudo de medio cuerpo para arriba. Transportaba con bastante soltura un alto aparato proyector eléctrico que llevaba apoyado en un hombro. Con tranquilidad cruzó el gabinete y fue hacia uno de los amplios ventanales. Al pasar junto al marqués le echó un ligero vistazo, pero no le dijo nada. Siguió hasta el ventanal. Lo abrió de par en par. Llevaba sobre el hombro izquierdo un grueso rollo de manga eléctrica y un rollito de alambre en el cinturón. Asombrado, David

103

siguió el recorrido del electricista. Éste cogió el rollo de manga y gritó hacia afuera, hacia la explanada y el parque:

—¡Ahí va, Yuste!

Y lanzó el rollo por la ventana.

David había seguido con muchísima curiosidad las acciones del joven electricista. Ahora dejó la brocha, se levantó del taburete y se dispuso a contemplar el trabajo del otro, que decía hacia afuera, a voces:

—¡No he tardao, joder, no he tardao! ¡Es que no me han dejao entrar por la puerta principal! ¡He tenido que ir con este muerto —se refería al aparato proyector— al hombro, por el garaje, por el taller, dar la vuelta por las cocinas, bajar al sótano y rodear toda la planta baja hasta llegar aquí!

A unos cien metros, donde una balaustrada de piedra separaba la explanada del parque, junto a una cámara tomavistas montada en una pequeña grúa, un hombre rechoncho, de unos cincuenta años, pelirrojo, chato, de facciones muy marcadas y asomo de calvicie, vociferaba dramáticamente, como si estuviera a punto de suceder una catástrofe, con voz potente pero enronquecida:

—¡¿Cuál de los cuatro cabrones que tienen que ayudarme está en esa mierda de ventanal con el jodío proyector?! ¡¿Es López o es Felipe?!

—¿Qué? —preguntó el joven electricista semidesnudo desde el ventanal.

—¡Que si eres el gilipollas de López o el tarao de Felipe!

—¡¿Que qué dices?! —fue la réplica del gilipollas o tarado, que quizás aumentó adrede su minusvalía.

Otro electricista que se hallaba junto al jefe decidió ayudarle, por lo de la ronquera.

—¡Que, después de encenderlo, muevas el proyector!

—¡Ya os oigo, coño, ya os oigo, no estoy sordo!

Cogió el proyector y se dispuso a moverlo. Prudentemente, preguntó antes de desgastar energías inútilmente:

—¿Hacia arriba o hacia abajo?

Le contestó el pelirrojo, a disfónicos gritos:

—¡Si te parece, muévelo hacia donde te salga de los cojones, pero cualquiera que no hubiera salido ayer del coño de su madre lo movería hacia abajo!

—¡Sí señor!

Dirigió el proyector hacia abajo, y mientras lo hacía murmuraba:

—Ya podían empezar a dar por el culo a tus siete padres.

—¡Ahora, para arriba! ¡Que ahora para arriba! ¿Es que no oyes, leche?

—¡Ah! ¿Para arriba? ¡Sí señor!

Volvió a llegar al gabinete y alcoba, a través del abierto ventanal, la voz ordenante y amenazadora. El marqués procuraba obturar psicológicamente sus oídos.

—¿Oyes bien o tienes mierda en las orejas?

—¡Sí, sí señor, oigo bien! ¡Es que me distraigo pensando en cosas de política!

El marqués comprendió que aquella era una muestra de lo que se llamaba humor castizo. El electricista movió el proyector hacia arriba al tiempo que murmuraba:

—Catorce, catorce padres.

Después se quitó un guante que llevaba en la mano derecha y se sentó —mejor, se dejó caer derrengado— en una de las butaquitas Luis XVI.

El marqués dio dos o tres pasitos hacia el electricista.

—Curioso oficio este de ustedes.

—Por lo menos, es tranquilo —respondió el otro.

—Ya veo; puede usted incluso sentarse.

—Sí, sobran muchos ratos.

—Pero es difícil entender bien al que da las órdenes, ¿verdad?

—Si le entendiera bien, tendría que salir a partirle la cara.

—Quizás sea un trabajo demasiado excitante, ¿no?

—No crea; estuve en Alemania embotellando cocacola y acabé de los nervios. En esto, por lo menos, hay contacto humano.

—Ya lo he visto, ya.

Se retiró del electricista con intención de volver a pintar. El electricista sacó una novelucha del bolsillo trasero del pantalón.

—¿Le importaría a usted dar las gracias de mi parte a sus jefes? —preguntó el marqués.

—¿Por qué?

—Porque han molestado ustedes mucho menos de lo que yo creía. Y muchísimo menos de lo que pensaba Basilio, el mayordomo. Déles las gracias, se lo ruego.

—Se las daré —contestó, y se dispuso de nuevo a leer.

—A veces se oyen gritos, sí, eso no puedo negarlo —dijo el marqués—, porque algunos técnicos son un poco groseros, pero yo también suelo decir palabrotas. Desahoga mucho.

Suspendió un instante la lectura el joven electricista para preguntar al anciano aristócrata:

—A usted le gusta pegar la hebra, ¿eh?

—Hombre, una parrafada de vez en cuando, no viene mal. Perdone, pero ¿qué es lo que está usted leyendo? ¿Le importaría decírmelo? Es una simple curiosidad de intelectual.

—Sí, ya nos han advertido que tiene usted muchas monomanías. Por mí no se preocupe.

—Entonces... ¿la novelita?

Él mismo dio vuelta a la novela para ver la portada.

—«Tres verdugos para un asesinato.»

—Estas novelas relajan mucho —dijo el electricista.

—Sí, los psicólogos lo dicen —corroboró el marqués.

David volvió a la brocha y al caballete y el electricista pasó unas hojas de la novelucha. Pero antes de dar ningún brochazo, David se arrepintió y volvió a acercarse al electricista.

—¿Usted sabe arreglar retretes? —le preguntó de repente.

Sorprendido, pero no demasiado, alzó la mirada el joven electricista.

—¿Qué?

El aristócrata le tranquilizó.

—Ya sé que es usted electricista; pero hace un momento me ha dicho que sabía embotellar coca-cola. Yo, en cambio, no soy nada. De joven era rico por casa y nada más. Y ahora soy pobre por casa, nada menos...

Rió su propia gracia, mientras el electricista permanecía impasible, pues no podía entender que aquel gabinete y alcoba, aquel palacio, aquella explanada, aquel parque y las hectáreas de campo de alrededor, con los viñedos y el olivar, fueran la pobreza por casa, por muchas risas que le echase el marqués tarado.

—Pero soy historiador, aunque por herencia obligada. Desde mi bisabuelo, todos los marqueses de Trespasos somos historiadores. Yo me he especializado en Carlos III; y ahora estoy escribiendo una novela sobre la decadencia de la aristocracia; y además pinto al óleo y toco el órgano. De la misma manera que usted es electricista, pero sabe embotellar coca-cola, podía saber arreglar el retrete.

El electricista contempló fijamente al marqués, como para elaborar un diagnóstico, y al fin preguntó:

—Pero usted ¿qué problema tiene?

—¿De cuánto tiempo dispone usted ahora? —preguntó a modo de respuesta el aristócrata.

—De unos veinte minutos; ahora están con los artistas, que siempre son muy duros.

—Pues escuche, escuche usted...

Se acercó al electricista, que se había levantado.

—No hable, por favor.

Obedeció el electricista, y en el silencio se oyó el mismo zumbido que producía habitualmente la cisterna.

—¿Oye usted algo? —preguntó David.

El electricista afirmó con la cabeza y reprodujo onomatopéyicamente:

—Zzzzz, cloc, cloc... Zzzzz, cloc, cloc... Una cisterna que no marcha.

Ilusionadísimo, preguntó David:

107

—¿Y podría usted arreglarla?

Sin darle demasiada importancia al problema, preguntó el electricista:

—Veremos a ver. ¿Dónde está?

Separó de su ancho cinturón el pequeño rollo de alambre.

—Por aquí, aquella puerta.

Le llevó al dormitorio y le señaló, al fondo, la puerta que daba al cuarto de baño. Interrumpió su marcha para preguntar:

—¿Cuánto me va a llevar?

Y deshizo el camino para llegarse a la mesa escritorio y abrir uno de los cajoncitos.

Amable y sonriente, respondió el obrero:

—Nada, don David, nada.

El marqués le enseñó un billete con esa sonrisa medio pícara con la que demuestran los ricos que consideran a algunos pobres más de lo que lo son.

—Que no, hombre, que no —respondió el otro, muy por encima de las circunstancias.

—No lo considere como emolumentos, sino para tomar unos vinos con los amiguetes.

—Que no, don David, que eso era antes de que mi abuelo perdiera la guerra.

Y se fue hacia el fondo del dormitorio y entró en el cuarto de baño. La taza del retrete y la cisterna no podían ser más antiguos, de los de cadena. Parecía mentira que un palacio como éste aún conservara esa antigualla, como una pensión o un cine de barrio. Buscó una banqueta, la encontró y se encaramó en ella.

El marqués, entretanto, había ido rápidamente hacia el telefonillo y marcaba un número. Sin duda al obrero cinematográfico la cantidad ofrecida le había parecido muy escasa. Los del cine cobraban mucho.

—¡Basilio, Basilio, ven en seguida!

Volvió al escritorio, sacó unos billetes más del cajoncito y se los guardó en un bolsillo de la elegante bata de seda. Aquélla fue una de las causas de la Revolución Francesa y de la formación de la burgue-

108

sía. Si en el siglo XVIII sólo hubiera habido avarientos, este problema no habría existido. Si ningún rico hubiera ofrecido nunca más de quinientas pesetas, o la equivalencia en su tiempo y en su país, los menestrales no habrían advertido que quinientas pesetas eran poco. Deteriorar los mercados era algo imperdonable. Ya lo dijeron los mercantilistas y los fisiócratas. Echó un vistazo al proyector que el electricista había colocado en el ventanal. Era un trabajo muy pintoresco el de aquel hombre. Subía aquello para arriba, lo bajaba para abajo, luego se sentaba a leer una novela y ya estaba.

—¡Hay que ver cómo se lo montan algunos!

Sonaron los golpes discretos de siempre en la puerta.

—Pasa, Basilio.

—¿Qué desea el señor marqués?

David señaló el proyector.

—Conque aquí no iban a entrar, ¿eh?

No dio muestras de sorpresa el criado ante la pregunta de su señor.

—Sí, yo ya lo sabía desde la semana pasada. Yo mismo me tomé la libertad de darles permiso esta mañana para entrar aquí sin consultar con el señor marqués, porque me pareció oportuno y el señor marqués aún no se había despertado.

El señor marqués escuchaba, mientras asentía con leves movimientos de cabeza mecánicos, instintivos.

—Pensé, además, que como era el último día, no serviría de precedente. Les pedí que no metieran el foco aquí hasta que el señor marqués hubiera desayunado. Y aceptaron.

—Y te dieron una propinilla.

—Una propinaza, señor marqués, porque, según me dijo el de los cuartos, iban incluidos los servicios prestados durante todos estos días. Me dieron treinta mil pesetas, señor marqués. Con todos los respetos, y si el señor marqués no lo toma a mal, le diré que yo creo que esa cantidad nos la debíamos repartir.

Ya había sacado los billetes del bolsillo.

Con sequedad, respondió el marqués:

—Sí lo tomo a mal, Basilio. Hablemos de otra cosa.

Sin guardarse el dinero, argumentó el criado:

—Perdone el señor marqués, pero sin duda no me he expresado bien. Cuando dije «repartir» no quería decir mitad y mitad. Yo había pensado un ochenta para el señor marqués y un veinte para mí. El señor marqués tiene muchas más necesidades que yo.

El señor marqués entendió y asimiló lo que su criado le decía, pero replicó enérgicamente:

—¡Que hablemos de otra cosa!

—Sí, señor marqués.

Y volvió a guardarse el dinero.

—En estas dos últimas semanas ¿no han vuelto a venir por aquí los policías?

—No, señor marqués; no han vuelto.

—Desde entonces ¿tú has pensado algo sobre eso?

—¿Sobre qué?

—Sobre la visita de los policías.

—No, señor marqués.

—Yo sí —añadió David Trespasos y durante un instante permaneció en silencio, como meditando lo que ya había meditado con anterioridad—. La marquesa no puso demasiadas pegas a que llenáramos de fieras la casa.

—Se desmayó cuando usted le habló de ello por teléfono la primera vez.

—¿Tú la viste?

—Sí, señor marqués; caída en el suelo estaba, junto a la mesita del teléfono.

—Pero ¿tú la viste caerse?

Meditó un instante el criado, para recordar con precisión y no mentir a su señor.

—No, señor marqués, yo no estaba en la habitación cuando se desmayó.

—Y cuando vino aquí a discutir el asunto, en seguida dijo que fuera yo el que decidiese. Escucha, Basilio, ¿tú ves alguna relación entre las fieras, la señora marquesa, mi hijo Antonio y la policía?

Abrió dos ojos como platos el criado para responder, muy sorprendido:

—No, señor marqués, no veo ninguna relación. Fastidiado, con un ademán que trataba de expresar impotencia, resumió David:

—Yo tampoco.

Ya estaban lejanos los tiempos en que el zascandil Medinilla lo arreglaba todo; y en los que echaba una mano, siempre muy útil, Umbría, el abogado. Matildona, la alcahueta de superlujo, a la que se podían pedir toda clase de favores, incluso del más alto nivel y con ramificaciones en el extranjero, había muerto de cáncer a comienzos de los setenta. El que ahora llamaban de vez en cuando Solís el del banco, no era el auténtico «Solís, el del banco» de los buenos tiempos, sino un sobrino suyo que le había heredado, hábil para negocios multinacionales y políticos, pero nada más. Ponzano, el de *import-export,* ya con ochenta años cumplidos, aún existía, pero su abundantísima familia se había apoderado de él y de su dinero, con la disculpa de cuidarle, y se limitaba a vegetar en un hotel de la colonia de El Viso. Umbría había muerto de cirrosis hacía ya muchísimo tiempo. A Medinilla se le llevó el segundo infarto. El superviviente era Trespasos.

La soledad. La soledad estaba muy bien y él la había buscado y encontrado. El criado Basilio y antes su antecesor Pepe, eran muebles, y no muy bien trabajados. Y la soledad, de vez en cuando, mostraba sus inconvenientes. Como ahora.

En este momento, con las manos en la bragueta, acabando de abrocharse los pantalones, salió del cuarto de baño el joven electricista cinematográfico semidesnudo. Basilio se quedó con la mirada prendida en él, sorprendidísimo.

—Bueno, ya está —dijo el obrero, con respiración algo fatigada—; con su permiso, me he dado una ducha.

—¿De verdad, está? —preguntó, contentísimo, David.

—Creo que sí. Provisional, ¿eh?

Un poco de tapadillo, David intentó darle los billetes que había sacado del cajoncito, pero el otro los rechazó mientras Basilio contemplaba, estupefacto, la operación.

—Que no, que no —rechazaba el joven electricista.

—Toma, hombre, toma —insistía, entre dientes, el anciano aristócrata.

—Ni una peseta; para mí ha sido un placer.

Esta afirmación aumentó el asombro de Basilio, hacia el que se volvió exultante, contentísimo, el marqués.

—¡Ha arreglado la cisterna, Basilio!

—¡Ah!

El marqués echó a correr hacia el cuarto de baño y tras él fueron los otros dos. Uno levantaba la tapa del inodoro. Otro tiraba de la cadena. Otro comprobaba si el agua de la cisterna subía, si bajaba, si el émbolo funcionaba como era debido... Todos presa de gran entusiasmo ante el buen resultado del trabajo del joven cinematografista semidesnudo.

* * *

Mientras tanto, en el parque, donde estaba emplazada la cámara, el director de fotografía vociferaba con la enronquecida voz que le quedaba después de estar vociferando desde las siete de la mañana. Puede aclararse que contaba con moderno aparato de megafonía, pero que cuando se lo ofrecían, se desprendía de él con un manotazo o una patada.

—¿La hermana puta del que está en el ventanal ha parido ya al hijo de un cabrito?

Delicada, lentamente, procurando no hacer ruido para no turbar el trabajo de los demás, Rosi empujó la puerta del gabinete. Dio unos golpecitos, pero como nadie respondió se atrevió a abrir del todo sigilosamente y echó una ojeada al interior. No vio a nadie.

Junto a la cámara tomavistas, seguía gritando, desaforado, el artista fotográfico:

—¡Me cago en mi padre! ¿¡Dónde se ha metido el gilipollas que tenía que estar en el ventanal!?

A media voz, prudentemente, le advirtió el ayudante de dirección:

—Ten cuidado, Matías; nos van a echar. Esta gente son aristócratas.

—¡Me cago en todos los padres de todos los aristócratas de todos los países del mundo!

Con la misma prudencia de que había dado muestra, el ayudante de dirección se alejó de allí.

Hasta el ventanal llegaron las destempladas voces de Matías, y Rosi, servicial como siempre, se acercó al ventanal y preguntó:

—¿Qué? ¿Qué pasa?

El director de fotografía respondió veloz con otra pregunta:

—¿¡Eso es un electricista o la madre puta que me parió!?

Rosi, instintivamente, retrocedió, horrorizada, al tiempo que el electricista, aún más horrorizado, salía corriendo del cuarto de baño y se abalanzaba al ventanal.

—No se preocupe, señorita —le dijo de paso a Rosi—; con usted no va nada. Es conmigo.

Y se volvió hacia la explanada.

—¿Quería usted algo, Cifuentes?

—¡Mamón, ¿puedes concentrar de una jodía vez ese proyector sobre la rosaleda?! ¡Que se está nublando en lo que tú te tocas los cojones!

Sonrió amablemente el joven electricista y se dispuso a obedecer la orden recibida. Del cuarto de baño llegaban, contentísimos, el marqués y su criado.

—¡Da gusto, da gusto ver caer el agua! —dijo, casi en éxtasis, el marqués.

—¡Ya lo creo que lo da! —corroboró el criado.

—No te lo vas a creer, Basilio —añadió, entre risas, el señor—, pero yo soñaba con mierda.

—Pues dicen que es buena suerte.

—Eso dicen, pero a mí me daba angustia. Me imaginaba que al levantarme me iba a encontrar con que los alfombrines de la alcoba eran de mierda, y esta alfombra del gabinete, también, y ahí, bajo el tresillo, una alfombra de mierda...

Al mencionar el tresillo, dirigió la mirada hacia el ángulo de la tertulia, ante los ventanales y descubrió, sentada en el sofá, tranquila y discreta, a Rosi. El marqués, al verla, enmudeció desconcertado.

—Perdone, Rosi, no sabía que estaba aquí —y lanzó una mirada acusadora a Basilio.

—Yo tampoco señor marqués —se justificó el criado.

Rosi no pareció dar importancia al incidente y pasó a explicar el motivo de su presencia.

—He venido solamente a liquidar con Leda Films, porque a los del cine hay que cazarlos al vuelo. De lo de usted —se refería al marqués— supongo que ya estará al acecho el abogado Requena.

—Eso pienso.

—Pero me armé de valor y aun sabiendo lo que significa para usted la soledad, me dije: vamos a saludar al marqués y a decirle cómo van las cosas.

—Ha hecho usted muy bien. Lo malo de decidir estar solo es que los demás están dispuestísimos a respetar la soledad de uno. Y a veces, claro, se tienen ganas de echar una parrafada.

Rosi se había levantado cuando fue descubierta, pero el marqués le pidió que de nuevo se sentara. Él también lo hizo y se volvió hacia el criado.

—Creo que es la hora de la píldora, Basilio.

—Sí, señor marqués —respondió el criado y fue hacia el dormitorio.

—¿Qué me dice de los cuadros? —preguntó Trespasos a la muchacha—. ¿Se ven posibilidades de comercialización? Pero, por favor, no demasiadas sorpresas: ni agradables ni desagradables. Ya tuve un infarto, y desde entonces me cuido mucho.

Regresó Basilio con un vaso de agua y la píldora. El marqués tomó su medicina en lo que Rosi decía:

—El cuadro que llevé de muestra, y que pienso devolverle, le ha interesado a Lucas, el de Sacul, pero no puede decidir sin la respuesta del cliente americano. El consejo de administración de Safarisa ha aprobado lo del zoológico, a los ingenieros les parece adecuado el terreno. El zoólogo alemán ha dado el visto bueno. Usted está de acuerdo, la marquesa también...

—Sí, desde luego... —aceptó el marqués, como distraídamente.

—Las firmas de sus hijos supongo que no son necesarias.

—Mis hijos no pintan nada, vendieron todo lo suyo.

—¿Y su hermana?

David Trespasos tardó en contestar. Miró directamente a los ojos de Rosi. ¿Aquella muchacha, a pesar de ser nada menos que «relaciones públicas» ignoraba tantas cosas? ¿No debía saber toda la gente que estaba en el mundo quién era él y cómo andaban sus relaciones familiares? ¿Rosi Vallés era hipócrita, discreta, profesional?

—Si hubiera que tratar con mi hermana, preferiría morirme de hambre —lo dijo también como pensando en otra cosa, con indiferencia, sin encono. Se volvió al criado—. ¿Se sabe algo de mi familia, Basilio?

—Sí, señor marqués. En una de esas revistas venía una foto de la hija del señor marqués, doña Rocío, con su marido australiano y los nietecitos.

—Esos me quieren mucho, me mandan postales. ¿Y el pie de la foto, decía algo interesante?

—Pues... —indeciso, se interrumpió y lanzó a Rosi una mirada significativa.

—Habla, habla. ¿No comprendes que la señorita Rosi puede haberlo leído también?

—No, no lo recuerdo —dijo Rosi.

—No dice nada malo —afirmó Basilio—. Que ya no se divorcian y que a doña Rocío ha dejado de vérsela en locales nocturnos con el campeón de tenis.

—¿De mi hermana sabemos algo?

—La hermana del señor marqués sigue sin salir en esas revistas.

—Claro, son revistas que intentan ser agradables. Pintan la vida de color de rosa. ¿Mi hijo ha salido estos últimos días?

Basilio tardó en contestar. Apartó su mirada del marqués. Al fin, contestó con una pregunta:

—¿El hijo menor del señor marqués, el señorito Antonio?

—Sí, el señorito Antonio.

—Sólo he visto una foto de su señora esposa, doña Licia, como presidenta de un concurso de gazpacho.

—¡Esa foto sí la he visto! —recordó, sonriente, Rosi—. ¡Estaba divina! Y vestida chachi, como siempre. Llevaba un Valentino.

—Pero ¿del señorito Antonio, nada? —preguntó el marqués al criado.

—Nada, señor marqués —respondió el criado, a cada momento más inseguro.

—Esas revistas, ¿no traen páginas de sucesos?

Basilio descendió su mirada hasta las punteras de los zapatos.

—No, señor marqués. ¿Me permite el señor marqués que retire el servicio de desayuno?

—Sí, debes retirarlo. Aquí molesta.

Basilio retiró el servicio y se marchó, que era lo que estaba deseando hacer. Al llegar al lóbrego pasillo, después de cerrar la puerta, respiró profundamente.

10

En este capítulo los cinematografistas son sustituidos por las fieras y el criado Basilio habla de su porvenir.

David apartó por un instante su atención de la señorita Rosi, para preguntar al electricista, que leía sin interesarse por la conversación:

—A ustedes, los que trabajan en el cine, estas revistas de que hablábamos, ¿les resultan interesantes?

—A mi novia le chiflan, pero yo prefiero esto —se refería a la novela que estaba leyendo—. Tiene más realidad.

David reanudó la conversación con Rosi.

—¿Y de aquellas otras películas de que me habló, qué sabe usted?

—¿Cómo aquellas? Era sólo una, la de Producciones Joya.

—Bueno, pues ésa: ¿se sabe algo?

—Sí, David. Y como a ustedes no les gusta la gente del cine, lo que se sabe es una buena noticia: han alquilado el palacete de los Farrés.

—Ah —aceptó fríamente David; y se quedó en silencio.

Afuera, el director de fotografía parecía ya más tranquilo, porque las nubes que amenazaban nublar la mañana y privarle de la luz necesaria se habían alejado, y quizá por eso no fue muy duro cuando ordenó al electricista:

—¡Maricón, deja ese proyector como está y ven aquí de una puta vez!

—¡Sí, ahora voy!

Fue hacia la puerta y de paso les dijo a los otros que no tocaran el aparato, que daba calambre. Y se marchó.

—Lo que está hecho del todo —insistió Rosi— es lo del zoológico. A la firma.

—Es que... Verá usted, Rosi... Le he estado dando vueltas a esa oferta y no me apeo de mi primera mala impresión... Las fieras rodeando el palacio... Perturbarían mi soledad. Y no ocho o diez días, como los del cine, sino diez años. Además... Se lo diré en confianza: tengo la impresión de que a mi mujer, diga lo que diga, le interesa mucho el proyecto.

—¿Y eso qué tiene que ver? ¿Es malo?

David Trespasos apartó la mirada, se miró las uñas como si en ellas fuera a encontrar la clave de algo y murmuró en el mismo tono que lo habría hecho si se encontrara solo, que sí, que tenía que ver, tenía que ver... Pero no quiso explicar más y bruscamente cambió de tema. Preguntó a Rosi si sabía algo de su novela, *Decadencia* si por ese camino había alguna esperanza. Rosi se mostró concisa y cruda. Publicar la novela sería fácil. Pero de pelas, nada. De adelanto darían cuatro perras y tendría que resultar un *best-seller* para que dentro de unos años el autor viera algo más. Tampoco se anduvo con disimulos el marqués al sonreír despectivamente y encogerse de hombros ante la idea de recibir algún dinero al cabo de unos años. El dinero lo necesitaba ya, en aquel momento, antes de que Rosi Valles saliera del palacio. Pero convertir Trespasos en una selva... Peor que cuando los rojos. No ignoraba la muchacha la ruinosa situación de la familia Trespasos y, tras pedir prudentemente permiso al marqués, se interesó por su hijo mayor, el primogénito. ¿Ése no podría hacer algo, echar una mano?

—Odia este palacio, la finca... Odia a nuestra clase. Yo nunca he sentido cariño por él, no me importa reconocerlo. Desde muy joven tenía ideas subversivas, una vulgaridad en aquella época, figúrese usted, en pleno franquismo. Íbamos de disgusto en disgusto. Yo, un Trespasos y alférez provisional, y a él Stalin le parecía conservador. Con mi otro hijo, Antonio, discutíamos, pero éste ni siquiera me hablaba. Hizo con su propio esfuerzo, sin aceptar ni una peseta de la familia, la carrera de ingeniero. Ahora es multimillonario en Canadá.

—Ya lo sé. Por eso digo...

David Trespasos la interrumpió con sequedad.

—Le eché de casa a los dieciocho años. No puedo aceptar nada de él.

Tras un silencio, resumió, absolutamente desesperanzado:

—Entonces, ni las películas, ni la novela...

Rosi Valles pareció apiadarse de la tristeza del anciano aristócrata arruinado.

—Nada de eso serviría para lo que ustedes necesitan.

El marqués se levantó y fue a contemplar el panorama que se divisaba desde uno de los ventanales.

—Pensar que desde aquí vería cocodrilos, hipopótamos... En Trespasos. Hace años había jabalíes, eso sí. Y en el siglo XVIII el rey Carlos III vino muchas veces de montería. Pero elefantes... —se le entrecortó la voz, se interrumpió, estaba a punto de llorar.

—Es la única solución, créame, David, lo que yo le diga. Y está hecho. Mañana mismo se puede firmar. Ya le he dicho que el consejo de administración de Safarisa ha dado la aprobación a esta finca, y a los ingenieros les parece muy adecuado el terreno.

Lentamente, alicaído, el marqués volvió a sentarse.

—El zoólogo alemán está de acuerdo —insistió Rosi—. Yo esta mañana he traído —sacó de su bolso una hoja mecanografiada— una especie de compromiso de intenciones. Para que usted y la marquesa... A ella le he dejado una fotocopia. Si quiere echarle un vistazo...

Entregó al marqués la hoja mecanografiada.

El marqués de Trespasos sacó las gafas de uno de los bolsillos de la bata y fue leyendo el papel y asintiendo con cabezadas, mientras, resignado, murmuraba:

—Muy bien..., muy bien..., muy bien...

* * *

119

Desde lejos, prudentemente, Basilio contemplaba la dificultosa labor de desencajonar las fieras. Habían pasado sin mayores novedades los cuatro meses calculados por la empresa alemana, y en ellos se habían llevado a cabo las obras necesarias. El plazo se cumplió con precisión, como si a los españoles que intervinieron en la labor se les hubiera contagiado la eficacia y la exactitud de que hacían gala los alemanes. Los cuidadores de las fieras realizaban su trabajo con energía, pero sin manifestar temor. Por nada del mundo habría querido Basilio tener aquel oficio.

* * *

El marqués estaba sentado al órgano, intentando tocar, tratando de convencerse a sí mismo de que aquel era un día como otro cualquiera, que no significaba nada en su vida el hecho de que los dominios de Trespasos se convirtieran en un parque zoológico, en un safari fotográfico, o como diablos se llamase aquello. Como cualquier otro día, don David, marqués de Trespasos, intentaba tocar el largo de Haendel. Pero el día no era un día como otro cualquiera y los sonidos, los ruidos discordantes que llegaban de fuera se lo impedían. La tarde estaba declinando. Se había llevado el día entero la labor de desencajonar a aquellos bichos. Las voces de los cuidadores eran aún más fuertes, más desagradables que el rugir de los leones, el barritar de los elefantes, el bramido de los rinocerontes. El marqués, airado, cerró de golpe la tapa del órgano eléctrico. Era inútil. No se podía tocar. Y cuando no se podía tocar, no se tocaba. Se levantó y se quedó quieto, con las manos en los bolsillos de la ajada bata de seda, en el centro del gabinete. Escuchó el ruido infernal que llegaba por los ventanales. Con un pañuelo se enjugó el sudor. Miró a un lado y a otro. No sabía qué hacer. De ahora en adelante, ¿tendría que contar siempre con aquel ruido selvático? ¿Se vería obligado a prescindir de una de sus tres aficiones?

Los nudillos de Basilio, acariciando más que golpeando la puerta, le sacaron de su ensimismamiento.

—Adelante, Basilio.

Basilio abrió la puerta. Traía una bandeja y en ella un vaso de leche y un platito de bizcochos.

—Por hoy han terminado, señor marqués. Ya han desencajonado todos los animales —dijo como si acabara de salir de una larga tortura, y fue a dejar la bandeja en la mesita de centro—. A mí me ha dado miedo y lo he visto solamente desde la terraza. Pero la verdad es que los cuidadores lo hacen muy bien, con mucha seguridad.

El rumor de la selva había cedido. Ni barritaban los elefantes ni rugían los leones. Quizá estaban tomando un bocata. Ni el criado ni el señor conocían aún las costumbres de sus inquilinos.

—Oído todo desde aquí —dijo el marqués—, parecía que estuvieran matando a los pobres bichos, y no que los trajeran a vivir a un palacio.

—A mí me ha parecido que los que han armado más jaleo han sido los elefantes, pero ahora están tan tranquilos como los otros animales.

—Los elefantes son pacíficos, ya se sabe. ¿Y ese jaleo es sólo hoy, porque los estaban descargando, o durará siempre? ¿Tú qué crees? ¿Les has oído comentar algo a los cuidadores?

—No lo sé, señor marqués. Casi no he hablado con ellos. Buenos días, buenas tardes, ¿quieren una coca-cola? y poco más.

—No se había tenido en cuenta nada de esto; en el contrato no se precisó.

Resignado, arrepentido de haber confiado en Rosi y en el abogado Requena, se sentó a la mesa y se dispuso a tomar su refrigerio.

—No se precisó la cuestión del sonido. Nadie pensó en ello, ni el abogado, ni la señora marquesa ni yo. La pájara seguro que sí, ella lo sabía, pero se lo calló para no perder la comisión. Aquí no llegarán los bichos, es cierto, como tampoco llegaron los cineastas. Pero llegan estos rugidos. Un error, un error del que yo también tengo la culpa.

—Aparte del ruido, no creo que las fieras causen muchas molestias. Si el señor marqués hubiera querido salir a verlas... Están muy lejos del palacio. Y entre ellas y nosotros hay zanjas, alambradas, verjas...

—Ya lo sé, Basilio. Todas esas fueron las condiciones para firmar el contrato. He visto los planos y las primeras fotografías que hicieron. Y fotos de otros safaris parecidos a éste. De todas formas, si me sale algo de lo que tengo entre manos, podré dejar esta ruina y vivir como Dios manda: en un buen hotel.

—¿Piensa prescindir de mis servicios el señor marqués?

—De momento no, Basilio. Eso que te he dicho todavía va para largo.

—No se preocupe por mí el señor marqués; yo ya tengo dónde ir.

—¿Ah, sí? ¿Tienes familia, Basilio, y no te importa irte con ella?

—No, Dios me libre. Nada de familia. El undécimo, no estorbar. Además, por mi oficio me ocurre una cosa muy chocante, que estoy acostumbrado desde hace años a aguantar a las familias de los demás, pero no a la mía. No, no es eso: tengo plaza reservada desde hace tiempo en una residencia de ancianos.

—Ah, ya te entiendo. Quieres decir un asilo.

—Bueno..., no es eso mismo. Antes los llamaban así, pero no tienen ni punto de comparación estos de ahora con lo que eran aquellos sitios. No diré que de cinco, pero sí me atrevo a decir que es como un hotel de cuatro estrellas. Y yo he visto hoteles, aquí, en Madrid y en la Costa del Sol, y sé lo que me digo. Tiene capilla, teatro, salones, cafetería, dos jardines, a poniente y a levante, sala de juegos, autocar para los que quieran acercarse a Madrid...

Sonrió el señor ante el entusiasmo de su criado.

—Tal como lo cuentas, parece un paraíso. ¿Y está muy lejos?

—Al pie de la sierra. Y, perdóneme lo que voy a decirle, señor marqués, que yo en lo mío me he encontrado siempre muy bien y no tengo quejas, ni de la familia Pons, ni del señor conde, ni muchísimo menos del señor marqués en los meses que llevo a su servicio, pero, y no me lo tome a mal, allí no seré criado de nadie.

—Te comprendo, Basilio; y no te preocupes, que no te lo tomo a mal.

—Allí tendré criados yo —y hurtó algo la mirada al decirlo.

Con leve asombro, preguntó el marqués:

—¿Tendrás criados en el asilo? —Inmediatamente se rectificó—: Perdón, en la residencia.

—Medio.

—¿Cómo medio? —volvió a preguntar el marqués, más asombrado que antes—. ¿Medio criado?

—Sí, señor marqués. Hay cuatrocientos residentes y doscientos empleados. Tocamos, como usted ve, a medio criado por barba.

Rió abiertamente Basilio ante esta idea de tener medio criado.

—Se te ve muy contento con la posibilidad de ir allí, Basilio.

—No me resulta desagradable.

Las sombras de la noche empezaban a invadir el gabinete y Basilio encendió algunas luces, al tiempo que afirmaba:

—Si he de decir la verdad, señor marqués, no me resulta desagradable.

—Aquí, en el palacio de Trespasos, te disgusta la soledad, ¿no?

No quiso Basilio manifestarse claramente.

—Bueno... La soporto. ¿Puedo ya retirar el servicio, señor marqués?

—Sí, retíralo.

11

David Trespasos, sin que ése haya sido nunca su propósito, a pesar de su aislamiento entabla nuevas relaciones amistosas.

Cuando se marchó el criado, el señor, lentamente, con cierto aire de derrota en aquel primer día de parque zoológico, moviéndose muy despacio, fue hacia el rincón del órgano eléctrico. Se sentó en la banqueta y dirigió una mirada a la puerta por la que acababa de desaparecer Basilio. Fue una mirada tierna, que acompañaba a su pensamiento «parece un buen hombre este pedazo de maricón». Tras esta reflexión, empezó a tocar *El carnaval de los animales*. Y sin que él lo advirtiera, al poco rato, por uno de los grandes ventanales, que Basilio había dejado abiertos para que llegase desde la sierra el frescor de la noche veraniega, asomó la gigantesca cabeza de un elefante. Gigantesca, en aquel gabinete; en plena selva habría sido una cabeza corriente, como la de cualquiera de ustedes o la mía. Pero allí, sobre la redonda mesita Luis XVI y el tresillo tapizado de seda, entre cortinas de raso, era realmente gigantesca. Con los oídos llenos de su música y de espaldas al ángulo de la tertulia y a los amplios ventanales, David no advirtió la insólita presencia del paquidermo y siguió tocando. El elefante, sin encontrar nada sorprendente en la habitación a la que se había asomado, se retiró sin crear ningún problema. Pero a los pocos compases de la bella composición de Saint-Säens, por el otro ventanal consiguió introducir su largo cuello una jirafa que, silenciosa por naturaleza, tampoco llamó la atención del marqués, quien siguió tocando casi en éxtasis, feliz con el silencio de que disfrutaba, pues había temido que si a los bichos les daba por

124

protestar de noche como lo habían hecho de día, no iba a pegar ojo. Tan silenciosa como había aparecido, la jirafa también se retiró. Pero pocos segundos habían pasado cuando los dos animales, cada uno por un ventanal, irrumpieron esta vez casi al mismo tiempo. El marqués, a los pocos minutos, dejó de tocar y, ya serenado su espíritu, se dirigió hacia la alcoba. Justo en ese momento los animales se retiraron, de manera que el marqués no los vio y siguió su marcha. Al llegar al arco a la italiana volvió sobre sus pasos, porque recordó que había decidido releer algunos fragmentos de la *Vida de Massimo D'Azeglio,* que tenía cosas muy interesantes sobre la decadencia de la aristocracia, pues con todo aquello de la película, los cuadros y el zoológico, lo de Carlos III se le había ido de la cabeza. Se subió a la escalerita para buscar el libro en la última balda. Allí lo encontró, al mismo tiempo que el elefante volvía a introducir su cabeza en el gabinete. Descendió el marqués, y al llegar al pie de la escalera, en cuanto se volvió para dirigirse a la alcoba, descubrió a la bestia, pegó un bote, lanzó un grito y saltó por los aires. Cuando cayó al suelo, consiguió clamar:

—¡Auxilio! ¡Auxilio! ¡Socorro! ¡Bichos, bichos, hay un bicho!

Medio a gatas, buscó torpemente el marqués el telefonillo sin conseguir apartar la mirada de los ojos del elefante, que, en cambio, no le hacía ningún caso, sino que miraba a un lado y a otro con selvática indiferencia. Cuando el marqués ya tenía en sus manos el teléfono y estaba a punto de marcar, hizo su aparición la jirafa, introduciendo su largo cuello, y allí se quedaron los dos animales. Temió el marqués que sus ojos se le salieran de las órbitas. La mano con que sujetaba el teléfono le temblaba tanto como la otra, por lo cual quizá le fuera imposible oprimir los dos botoncitos. Sintió que gotas de sudor empezaban a correrle por la frente. Las píldoras para la hipertensión no las llevaba encima, estaban en la alcoba, en la mesilla de noche. ¿Debía ir inmediatamente por ellas o llamar antes a Basilio? En vista de que los dos animales permanecían quietos y en silencio, aparentemente tranquilos, aunque atemorizadores, optó por la segunda posibilidad. A pesar de los alarmantes temblores, consiguió marcar el número de la habitación del criado.

Basilio acababa de meterse en la cama y de apagar la luz de la lamparita, cuando sonó impertinente el teléfono. Entre sordas maldiciones descolgó el criado y escuchó la voz angustiadísima de su señor; era una voz casi inidentificable, entrecortada por el terror. Le resultó difícil a Basilio entender lo que el marqués le pedía o le ordenaba. Primero quiso saber si ya estaba acostado y Basilio mintió piadosamente y dijo que aún no. Entonces consiguió entender que el marqués quería saber si Basilio padecía de los nervios o del corazón. Cuando el criado afirmó no tener ninguna de aquellas dolencias, el marqués le pidió que fuera a todo correr a sus habitaciones, y que llevara un palo o una escoba, lo que fuera, pues el gabinete se había llenado de bichos. Cuando el marqués se disponía a dar más explicaciones, el criado respiró tranquilizado y colgó el telefonillo, pues comprendió que ratones o cucarachas tenían atemorizado a aquel cursi de Trespasos. Todo lo velozmente que pudo, se puso su bata, y fue hacia el armario esquinero donde guardaban las escobas.

Agazapado tras la mesa del telefonillo, en cuclillas, David se había atrevido a mirar de frente al elefante, pero ahora, concluida la llamada telefónica, no tenía valor más que para mirar a las dos bestias de soslayo. No hacían nada, parecía que no hacían nada, estaban tranquilos tanto el uno como la otra. Siempre había opinado David —y en otros tiempos le costó muchas discusiones con la marquesa—, que aquel dormitorio debía haberse puesto en la planta noble. Así no habrían podido ocurrir cosas como aquélla. Aunque la verdad era que la jirafa a lo mejor habría llegado. Movió levemente la trompa el elefante y el marqués no pudo evitar un respingo.

—Dumbo, no te muevas, por favor. Quédate ahí quieto, como estás ahora. Ten tranquila la trompa, que puedes romper lo poco que queda en pie. Aquí no se sabe lo que vale cuatro perras o lo que es una joya histórica. Yo sabía que erais fieras en libertad, me lo explicaron muy bien, pero creí que eso era un eslogan, como lo de hombres libres o mujeres libres, o lo de libertad, igualdad, fraternidad. O antes morir que vivir esclavo, y esas cosas. Pero, por lo visto, lo vuestro va en serio.

Barritó el elefante.

—Pero ¿por qué barritas? —preguntó inútilmente el marqués, cuyos conocimientos de zoología no eran tan amplios como los de historia, música o pintura—. ¿Para contestarme? Eso que tú haces —el marqués se puso didáctico, sin saber si la ocasión era oportuna—, los humanos lo llamamos barritar.

Se volvió hacia la jirafa.

—Ya sé que tú no tienes voz. Quizá sea una suerte. Te evitas clamar en el desierto.

Había dejado de barritar el elefante y el marqués rió su propia gracia. Miró alternativamente a los dos animales, tranquilizándolos con un ademán.

—Así, tranquilos; tranquilos estáis muy bien, da gusto veros.

Se dirigió especialmente a la jirafa.

—Tú pareces una corbata, una corbata muy larga, de esas que a algunos hombres de mal gusto les llegan casi hasta los huevos...

Cuando el marqués volvía a reír sus ocurrencias, entró Basilio con una escoba que de momento no llegó a utilizar, porque nada más ver a los dos animales asomados a las ventanas se asustó y pegó un grito que, como en el circo o en las películas cómicas, a su vez asustó al marqués. Quizás también asustó al elefante, aunque eso no pudo saberse, porque de nuevo barritó. La jirafa empezó a moverse convulsivamente, nerviosa.

—¿Qué pasa? —preguntó el marqués, pero al ver a Basilio se serenó relativamente—. Basilio, por favor, no los asustes, no los pongas nerviosos.

Basilio no miraba al marqués, no podía apartar su mirada de los visitantes. Estaba petrificado, escoba en alto, como caricatura del monumento de un glorioso general.

—Pero es que... —balbuceó—, es que... ¡Son enormes, señor marqués! ¡Son enormes, enormes!

Hablaba en voz baja, pero intensa, para que así no le entendieran el elefante y la jirafa.

—¿No se da usted cuenta de que aquí dentro resultan enormes?

El marqués ya había reparado en aquello. A la vertiginosa velocidad que a veces, y en determinados seres, adquiere el pensamiento, había recordado que el tamaño de las cosas se relaciona con su entorno y que una pirámide de Egipto puede ser bellísima allí, donde está, pero que sería una cosa desmesurada, incordiante, si apareciese de pronto en la Puerta del Sol, en la calle Carretas, en un castizo patio de vecindad. Una mujer desnuda en una playa no es lo mismo que la misma mujer desnuda en el despacho de un notario. Había una relación entre el tamaño y el lugar, la belleza y el lugar. El marqués tuvo un tío (q.e.p.d.) notario, y varias veces le invitó a reuniones en su despacho solemnísimo, con la biblioteca encristalada estilo directorio, la sólida mesa y la amplia y cómoda *chaise-longue* en la que al notario le gustaba echar dos o tres mujeres desnudas para pasar con ellas la tarde, en compañía de su afortunado sobrino, el joven David. Allí, en el despacho notarial, las mujeres desnudas estaban mucho más desnudas que en la playa o que en una alcoba. Por eso le pareció muy acertada al marqués la observación de Basilio cuando al comentar lo enormes que eran aquellos animales dijo «lo enormes que resultan *aquí dentro*».

—Sí, ya me he dado cuenta. Pero te he llamado para que me ayudes, y voy a acabar teniendo que ayudarte yo a ti. Por favor, no grites, que no crean que los provocas.

—¿Y qué pasa? ¿Que se han escapado?

—Yo qué sé. Pregúntaselo a ellos. Desde luego yo no los he invitado. ¡Corre, Basilio, corre, busca a los cuidadores y diles lo que pasa! Anda, no te quedes ahí hecho un pasmarote. ¡Corre!

—Sí, señor marqués —respondió Basilio, y se marchó velozmente.

* * *

—Si no se movieran... Si siguieran así... Como en los palcos de un teatro... Porque si aquel bestia se movía, el elefante... rompía la ventana... Y después de eso, cualquiera sabía lo que podía pasar. El marqués de Trespasos se atrevió a dar otros tantos, aunque muy cortos, hacia el ventanal al que estaba asomado el paquidermo, el enorme paquidermo, del que sólo se veían la cabeza, la trompa, las orejas... El marqués osó dirigir la palabra a la bestia.

—Pero estás tranquilo, ¿verdad, Dumbo? —de qué otra manera podría llamarle, afloraron sus recuerdos de infancia, de adolescencia—. Ya has visto que yo le he dicho a Basilio que no os asustara. Yo estoy de tu parte.

Prudentemente, procurando no hacer ningún movimiento brusco, se volvió hacia la jirafa.

—Y también de la tuya, Corbata. Si os estáis así un ratito, quietos, mirando sin moveros, no pasa nada. A mí no me importa que estéis aquí, conmigo, siempre que no rompáis nada; algunas de estas cosas, aunque no lo parezca, son muy caras. Todo está inventariado por el banco. Vosotros no entendéis de estas cosas, ya lo sé, pero en realidad nada de lo que veis es mío.

Al decir esto último había echado una mirada el marqués hacia su gabinete y una vez más percibió su ruina, su decadencia.

—El palacio está hecho una pena, ya lo sé, pero, por favor, no lo dejéis peor de lo que está. No es mío del todo, ¿sabéis?, lo tengo a medias. Y aunque esté hecho una pena, a mí me sirve, porque lo utilizo nada más que para estar solo, aquí, en este rincón. Gabinete y alcoba. No necesito más. Yo estoy solo aquí y con eso me conformo... Bueno, estaba solo. Ahora ya... No sé.

Cambió el marqués la mirada de uno a otro. Los dos animales parecían tranquilos y no daban la impresión de querer marcharse, sino de estar escuchando muy gustosos al aristócrata.

—Precisamente habíamos permitido que os trajeran a vosotros para que yo pudiera conservar...

Barritó el elefante.

—¡No, por favor, por favor! Estoy muerto de miedo, lo reconozco.

Alzó la trompa el paquidermo, abrió la gran bocaza y barritó de nuevo.

—Pocas veces en mi vida he tenido tanto miedo. Ni en el Alto de los Leones. Y no sé... No sé lo que debo hacer.

¿Debía abandonar aquellas habitaciones, gabinete y alcoba, por miedo, cuando no las había abandonado por ninguna otra causa? ¿Debía hacer semejante cosa un noble, un Trespasos? Interrumpió durante unos instantes el curso de sus pensamientos y al cabo de ellos se respondió a sí mismo. Yo creo que sí, debo huir cuanto antes. Pero la verdad es que, según lo poco que sé de la materia, estos animales son pacíficos. Sí, me parece que sí... No se trata de un tigre y un león, que ésos no estarían ahí tan tranquilos, asomados a la ventana, como dos comadres.

Se volvió hacia los animales, se enfrentó claramente con ellos, sin huirles, como hasta hacía poco, la mirada.

—Escuchadme...

Los animales se movieron, los dos al mismo tiempo, pero era imposible saber si lo hicieron para acomodarse mejor y disponerse a escuchar al anciano aristócrata o por cualquier otro motivo.

—Calma, calma. Sí, ya veo que estáis tranquilos. Para mí, animales y hombres son iguales. Incluso es posible que los animales tengáis alma, no digo que no. Se dijo que no la tenían los indios, y parece ser que también llegó a afirmarse que no la tenían las mujeres, y ahora, ya veis. Dicen que a lo mejor la tienen hasta las plantas, que, por sí o por no, conviene charlar con ellas. Claro, que a lo mejor preferís no tenerla. Ser desalmado no está mal: da buenos rendimientos. Yo no me opongo a nada, a nada. Me vi obligado a hacer la guerra, aunque poco tiempo, porque mi padre me enchufó; luego aguanté años con Franco, que a los monárquicos nos dio gato por liebre, pero soy liberal, liberal, muy liberal, liberal por encima de todo. Y los verdes, los ecologistas, me caen bien...

El elefante barrita, la jirafa se mueve inquieta. David se sobresalta ligeramente, se interrumpe. Por lo visto, la política, a aquellos animales no... O quizás hubiera otra causa...

—¿Tenéis hambre? ¿No es hambre? ¿No os han dado de cenar todavía? Supongo que sí, ésta es una empresa alemana.

Volvió a lanzar sus gritos el elefante y a agitarse la jirafa.

—Las fieras cuando tienen hambre protestan, pero yo aquí no tengo nada, nada...

Fue hacia su órgano eléctrico y volvió a tocar *El carnaval de los animales,* con muy pocas esperanzas de que aquello pudiera dar buen resultado. Pero lo dio. Se calmaron el elefante y la jirafa. Basilio había ido, todo lo deprisa que sus muchos años le permitían, hacia el sitio donde suponía que podrían encontrarse los cuidadores, que era como a dos kilómetros del palacio. Cuando estuvo cerca del puesto, no sin cierto temor por si había equivocado el camino y entrado en la zona por donde comenzaban a estar las fieras en libertad, comenzó a dar gritos:

—¡Favor, favor! ¡Socorro!

—Pero ¿qué coño grita ése? —le dijo un cuidador a otro.

—¡Las fieras han asaltado el palacio!

Aquello no era posible, teniendo en cuenta las precauciones que se tomaban. Pero el tartamudeante Basilio insistía en que era verdad. Las fieras no habían seguido el camino trazado previamente y habían invadido la explanada, los jardines... El gabinete y alcoba del señor marqués, su refugio privado, estaba lleno de elefantes y de jirafas a punto de destrozar los muebles y reventar las paredes. Uno de los cuidadores, que se había desplazado al oír los gritos de Basilio, gritó a su vez que debía de ser cierto lo que estaba diciendo aquel marica: faltaban una jirafa y un elefante. Tres cuidadores echaron a correr hacia el palacio, armados con lazos, látigos y escopetas. Montaron apresuradamente en un *jeep,* llegaron hasta el ala norte, donde destacaba la arquitectura curva de la primera planta. Ante la sorpresa de los cuidadores, allí estaban la jirafa y el elefante cada uno apoyado en su ventanal y con las cabezas dentro de la habitación.

Al interior del gabinete llegó el ruido de golpes, gritos, motor en marcha, frenazos, pitidos estridentes. Llegaron al jardín, junto a los ventanales, los cuidadores. Voces terribles, amenazadoras, algún disparo.

Saltó del *jeep* uno de los cuidadores.

—¡Elefante, cabrón, quítate de ahí, hijo de la gran puta!

Más miedo que las fieras le dieron al marqués aquellas voces, aquellos insultos, los disparos.

—¡Fuera de ahí, jirafa, fuera de ahí, me cagüen tu madre!

Aumentaba el griterío. Barritaba el elefante y se estremecía la jirafa. Y, atemorizados, los dos animales se retiraron de los ventanales. Pero seguían oyéndose las voces, los golpes, los pitidos. El marqués dejó de tocar y se abalanzó a una de las dos ventanas; desde allí gritó, suplicante, a los cuidadores, en lo que estos golpeaban con ferocidad a los dos animales descarriados:

—¡Déjenlos, déjenlos! ¡Les digo que los dejen! ¡No les hagan daño, no les hagan daño! ¡Si no hacían nada! ¿Oyen lo que les digo? ¡No han hecho nada malo!

Trabadas las patas delanteras, el elefante era ya conducido a rastras desde el *jeep.* La jirafa, mansamente, se dejaba conducir hacia otro lado. El anciano marqués de Trespasos seguía desgañitándose inútilmente desde el ventanal.

—¡No han roto nada ni me han atacado! ¡No les peguen, por favor, háganme caso! ¡Son muy sociables, muy pacíficos! ¡Sólo estábamos charlando tranquilamente!

12

Las fieras rodean el palacio.

Habían pasado muy pocos días desde los anteriores sucesos y ya estaba inaugurado el safari. La cacareada eficacia alemana había demostrado ser cierta. No sólo había fieras en libertad, sino un parque de atracciones para que los chicos pudieran divertirse en el carrusel, en la gruta de los misterios, en la tómbola y refrescarse, también los mayores, en el aguaducho o en el *saloon*. Basilio refirió al marqués todas estas maravillas para incitarle a abandonar su encierro y asomarse sólo a la zona de recreos, donde las fieras no tenían acceso. Pero David Trespasos no se dio por aludido y siguió en su encierro del gabinete y alcoba, fiel a la promesa que se hizo a sí mismo de no abandonarlo. Allí daba vueltas y más vueltas pensando que así lo hacían los leones en los zoológicos antiguos, en la «casa de fieras» del Retiro que él visitó varias veces en su infancia. Vueltas y más vueltas. Y en el centro, la soledad. ¿Se había equivocado al elegirla? De cualquier forma, aunque no la hubiera elegido voluntariamente, los que podían remediarla habían desaparecido, o se habían alejado, que, poco más o menos, era lo mismo. Incluso los hermanos Lechuga, que fueron los últimos que se incorporaron a la pandilla de los ricachondos, cuando ya otros habían desaparecido, ya no existían. Lo de Lechuga no era un mote, sino el auténtico apellido de los hermanos, ricos terratenientes extremeños. Los novelistas o los autores de obras teatrales o de guiones de cine, cuando presentaban a dos hermanos, siempre era para explicar que eran totalmente distintos en sus hábitos, en su comportamiento. Por ejemplo: uno era el malo y otro el bueno; uno el triste y otro el alegre; uno el formal y otro el frívolo. En cambio, en la vida real, estos hermanos Lechuga, de edades muy aproximadas, andaban los dos en los tiempos gloriosos del «Victoria Club» alrededor de los cuarenta años, eran parecidísimos. Igual de simples, opinaba Trespasos. Y ahora, en el recuerdo, los veía más simples todavía. No había nada que les interesase como tema de conversación, ni siquiera el fútbol. Y eran incapaces de entender cualquier párrafo un poco largo en el que se explayase alguno de los tertulios. En seguida lo interrumpía uno de los dos para comentar que Maruja Quinientas —llamada así por ser la primera en elevar la tarifa a esa cifra— estaba mucho mejor que Menchu la modelo, aunque fuese más bajita, o que el culo de la Belinda era el mejor de todo el «Victoria Club». Y esto podían decirlo cuando alguien estaba comentando la sesión de bolsa o anunciando un posible cambio de ministros, que sabía de muy buena tinta.

Por ahí divagaban los recuerdos de David Trespasos cuando, hacia la parte de los ventanales, escuchó unos ruidos que llamaron su atención, y, poseído por una oscura esperanza, corrió hacia allí. Abrió los dos ventanales, a un lado y a otro de la pared curva que suavizaba el rincón. Inmediatamente llegaron el elefante y la jirafa y cada uno se acomodó en el mismo sitio que habían tenido el día de la llegada.

David Trespasos retrocedió para dejar espacio a las enormes bestias. Estaba conmovido. Cambiaba su mirada rápidamente del uno a la otra. No sabía qué actitud adoptar, y terminó por hacer lo que más le apetecía: hablar. Hablar, primero, en voz muy baja, casi sin mirar a los bichos, como si estuviera solo y hablara consigo mismo. Pero consciente de que ahora no hablaba solo.

—No os podéis imaginar cuánto os agradezco que hayáis vuelto a verme, porque eso demuestra que no lo pasasteis mal conmigo el otro día; aunque luego se presentasen aquellos bestias. Os pueden parecer animales de mi mismo género, pero no es así, porque entre nosotros hay muchas diferencias, aunque quizá no debería haberlas.

Sin elevar el bajo volumen de su voz, se atrevió a alzar los ojos y mirar al elefante, y después a la jirafa.

—Quiero pediros perdón por el comportamiento de esos hombres, que si tuvieron con vosotros aquellos malos tratos, fue porque les obliga su trabajo y por su falta de cultura, ya que en nuestro género no se nos da a todos por igual.

Poco a poco, aparte de mirar a los ojos a los dos animales, se fue atreviendo también a elevar el volumen de la voz.

—Esto que os estoy diciendo, aunque pueda pareceros inútil, es, en realidad, el prólogo a nuestra mutua presentación, pues en la clase social a la que yo pertenezco (estamos divididos en clases, ¿sabéis?), no es costumbre tener largas conversaciones sin haber sido previamente presentados.

Centró su atención en el elefante.

—Yo sé de ti, Dumbo (te llamo así porque es el nombre de un elefantito que se hizo muy popular entre nosotros), que eres un elefante asiático, no africano. Y lo sé por el tamaño de tus orejas. Las de los africanos son mucho más grandes y quizá no habrían cabido en esta habitación. Desde niño, sé que tenéis esa trompa, esa especie de nariz tan larga, porque, aunque sólo sea en dibujos o fotografías, sois de los animales que más gustan, que más divierten a los niños.

Se volvió un momento hacia la jirafa.

—Como tú, Corbata. También tú eres un animal muy adecuado para divertir a los chiquillos, aburridos, por lo general, de vernos sólo a las personas, tan iguales unas a otras.

De nuevo se dirigió al elefante.

—Tus colmillos, Dumbo, cuando no sirvas para exhibirte en safaris o en circos o parques zoológicos, valdrán miles de duros; son, nada menos, que de marfil. Con la trompa eres capaz de realizar maravillas, lo mismo la usas para comer, para jugar, que para ducharte. Me parece muy bien de vosotros esa costumbre de vivir en grupos de treinta o cuarenta individuos, se puede encontrar ayuda, cambiar impresiones, jugar... Pero eso de que todos los individuos deban ser de la misma familia, no acabo de entenderlo. Si no son de vuestra familia, los echáis. No comprendo qué gracia le encontráis a eso de la familia. Hubo una época en la que tenía yo un grupo de amigos y con ellos convivía. El día en que más nos juntábamos (inolvidables tiempos del «Victoria Club») éramos diez. Pero si los otros nueve hubieran sido de mi familia, ¡qué horror! Una de las cosas en las que tú te diferencias de mí, aparte del tamaño de la nariz y el color de la piel, es que a ti, por lo visto, te gusta la familia, y los que no son de la familia te parecen enemigos. En fin, supongo que esto es resultado de la educación que cada uno hemos recibido. Si ahora no vives en manada o rebaño con los tuyos es por la maldad de los hombres, que te han cazado y te han separado, para meterte en este negocio. En cambio, a mí habría que cazarme y obligarme a tiros y a latigazos si se pretendiera que abandonase este refugio para vivir con mi familia. Pero sé otra cosa de ti y de los de tu género, y en ésa sí que somos parecidos, y es que cuando avanza tu edad, cuando pasas la madurez y te acercas a la ancianidad, podemos decir cuando ya has conocido la vida y a tus semejantes, se te pasa ese entusiasmo por vivir en familia y buscas la soledad. Tú y los de tu género remediáis vuestra angustia sexual gozando de seis a ocho elefantas cada uno, y esa es también la tendencia de mi género, aunque algunas sociedades y religiones lo censuren hipócritamente. Esos machos viejos que han elegido vivir aparte, buscan de nuevo el rebaño cuando llega la época del celo. Ahora que no nos oye nadie, os diré que a nosotros nos sucede lo mismo, aunque lo disimulemos, porque si no, nos llaman rijosos, como si esta disposición fuera exclusiva de los viejos. En eso nos parecemos, pero en otra costumbre nos diferenciamos radicalmente: vosotros dejáis que la jefatura de la manada recaiga siempre en una hembra, en una elefanta, mientras que nosotros nos esforzamos inútilmente, desde hace siglos, en encontrar un varón de buena edad que sea apto para desempeñar esa función. Y no encontramos más que imbéciles hereditarios, trepas o aprovechados.

Se tomó un respiro David Trespasos, y continuó:

—En otro aspecto, vosotros y nosotros somos fácilmente domesticables por el sencillo procedimiento de negarnos la comida si hacemos mal el ejercicio y dárnosla cuando lo hacemos de manera útil para el domador. Es posible que en estos parecidos tenga origen nuestra simpatía.

El elefante alzó la trompa y barritó.

—Quieres decir que estás de acuerdo, ¿verdad?

David Trespasos se volvió para quedar algo más enfrentado con la jirafa.

—Aunque sólo fuera por saber que eres el animal más alto de los vivientes, ya debíamos haber aprendido a respetarte los pigmeos humanos, Corbata. Gracias a que éste es un edificio antiguo puedes haber metido tu cuello en el gabinete, porque tu cabeza y tus cuernecillos ya llegan al techo. Otro de tus méritos, que los humanos despreciamos, es haber inventado el camuflaje. Tú vas vestida como los soldados del imperio americano en cualquiera de las últimas guerras. Por eso no hay quien te distinga, ni aun a corta distancia, en cuanto te quedes quieta en un bosquecillo de acacias o mimosas. Además, respecto al diseño, no hay animal más moderno ni posmoderno que tú, superrealista, inverosímil, producto de la imaginación y no de la realidad, pues la estricta realidad nunca habría podido producir una forma como la tuya. Tú eres fruto del sueño de un niño y no de la conveniencia de un equipo de industriales. Pero lo más notable de ti es el silencio. Yo que tantas estupideces he oído en mi vida y que, con toda certeza, tantas tonterías he dicho, ¡cómo no voy a admirar al único animal que no puede o no quiere emitir sonidos! Dijo alguien que el silencio era una prueba de confianza, y alguien podría decir que la culminación de la poesía está en el silencio. Sí, jirafa, Corbata, tu silencio expresa lo inefable. Por eso te agradezco, como a Dumbo, que vengas aquí a charlar conmigo. La gente no lo sabe, ni tiene por qué saberlo, pero yo sí me he enterado estos días, desde que os conocí de cerca, de que tú ni el momento en que el cazador te hiere de muerte dejas escapar ningún grito de dolor, ningún gemido.

Hizo un breve saludo, con una inclinación de cabeza, como el que ha terminado un discurso. Después colocó en su boquilla de plata un cigarrillo, tras cortarle una punta, lo encendió y se presentó a sí mismo.

—En cuanto a mí, os puedo decir que pertenezco al género y especie denominado *Homo sapiens,* incluido en el tipo de los vertebrados y clase de los mamíferos. Nosotros, los hombres (denominamos así indistintamente a los machos y a las hembras), no vivimos ya en manadas, sino en unas zonas geográficas artificiales que denominamos países, o naciones o estados. Y nos dividimos además en clases sociales según la cantidad de libertad o libertades con que contamos; libertad o libertades que adquirimos con unos objetos o cifras convencionales a las que denominamos dinero. Cada uno de nosotros tiene un número (el mío es el 8.422.417) y un nombre, más o menos largo (el mío es David Rodríguez de Honestrosa Arcos de Castillo, David Trespasos para los amigos; o sea, para vosotros). Y ahora que ya estamos presentados, Dumbo, Corbata, David Trespasos, como la gente de mi clase, podemos charlar todo lo que queramos. Y os ruego que lo mismo que lo habéis hecho hoy, vengáis a verme cuantas veces podáis escaparos de vuestros groseros guardianes.

Y con su mejor acento de la calle Serrano años cincuenta, remató el discurso:

—Me encanta tener dos amigos, los dos igual de simpáticos, y tan distintos el uno del otro. ¡Me encanta, de verdad!

* * *

A partir de aquella tarde el elefante y la jirafa, Dumbo y Corbata, se convirtieron, efectivamente, en amigos de David Trespasos. Por lo menos, en visita de casa, como habrían dicho años atrás sus padres.

No es que hubiera que atenderlos, ni prevenir al servicio para que Basilio tuviera dispuesto el té con pastas, pero David Trespasos sentía una especie de nerviosidad cuando habían pasado unos días sin que sus amigos acudieran. Él, en sus insomnios, o mientras trabajaba en sus cuadros o tocaba el órgano, iba pensando lo que tenía intención de decirles, las cuestiones de su vida interior sobre las que pensaba explayarse. Con ellos podía hablar de las sospechas sobre las actividades de su hijo, de los amargos recuerdos de su vida matrimonial, incluso de algo que le importaba poquísimo: el odio que le inspiraba el difunto general Franco por haber traicionado a la monarquía. También podía hablarles de Marta, «la de las perlas», momento dorado de su vida.

—Vosotros vivís en familia, es verdad; y aunque las jirafas admiten a cualquiera, los elefantes, no. Pero vosotros, queridos elefantes, y aunque hablo contigo me refiero a tu género, no diferenciáis entre hermanas, madres, cuñadas... A nosotros nos obligan a diferenciar. Y nos obligan, como en mi caso, a amar a mi hermana, por la simple circunstancia de ser mi hermana. Y no la amo. Ni la odio, de verdad que no la odio. Simplemente, me causa repugnancia. Su aspecto me repugna, el modo que tiene de vestirse y de peinarse me repugna, lo que dice me repugna, lo que creo adivinar que piensa, me repugna; lo que quedaba en el aire cuando se marchaba —ahora aquí no se atreve a venir—, me causaba repugnancia. ¡Cuántas chicas del «Victoria Club» me gustaban más que ella! No digo para llevármelas a la cama, o para irme a la suya, sino simplemente para verlas, para olerlas, para tener con ellas unos minutos de conversación intrascendente. Y si esto me ocurría con ella en aquellos tiempos, imaginaos lo que me ocurrirá ahora, que es una vieja de setenta y dos años. Y, sin embargo, según nuestras convenciones, de las que vosotros os libráis, tengo que amarla, o, por lo menos, tiene que parecerme bien, debería tolerarla.

Algunas veces, hace muchos años, mi hijo Antonio se sumó a la opinión de la marquesa Eulalia y adoptó conmigo la actitud de un padre, como si nos hubiéramos intercambiado los papeles. Según él, yo exageraba mi aversión hacia tía Rai, como él la llamaba. Tía Rai, aunque era una persona algo amargada, era una mujer agradable y dulce si se la sabía tratar. Esto yo no lo ignoraba, ¿sabéis?; si mi hermana hubiera causado a todo el mundo la repugnancia que a mí, habría tenido que suicidarse. Lo que ocurría era que ella procuraba convertirse en un ser repugnante en cuanto se encontraba frente a mí, como si quisiera deliberadamente herirme con sus defectos, como si me desafiara a soportarla, aunque sólo fuera unos minutos. Mi mujer, la marquesa, tuvo que reconocer, hablando confidencialmente conmigo, que cuando nuestro hijo Antonio era un adolescente, tía Rai hizo lo imposible por apartarle de nosotros, de mí, dándole todos los caprichos que nosotros no podíamos. De ahí viene la defensa de Antonio aquel día que se transformó en mi padre. Afortunadamente, los sentimientos de mi hermana y los míos deben de ser recíprocos, porque hace años que no la veo. Pero debo pediros perdón. Acabo de caer en la cuenta de que, por desahogarme, hoy os he hablado de algo que para vosotros debe de resultar absolutamente incomprensible, pues aún no habéis llegado a la cultura del incesto ni al descubrimiento de la paternidad.

13

*Una visita agradable. Confidencias. Malas noticias
para el marqués. Y, en el fondo, algo sospechoso.*

En lo que el marqués le
servía una copita, Rosi iba de uno a otro de los dos
ventanales, que estaban abiertos, porque aún duraba
el verano y hacía bastante calor.

—Por lo que veo, esto no está resultando tan incó-
modo para usted como suponía hace meses, cuando
hablamos de ello por primera vez. Desde aquí a los
animales ni se los ve ni se les oye.

—Sí, tiene usted razón.

A lo lejos, barritó, poderoso, un elefante.

—¡Ah! —exclamó Rosi, sorprendida.

—Ese es Dumbo.

—¿Los conoce usted ya por la voz?

—Nada más que a ése. Se le oye sólo de vez en
cuando.

—¿Y no ha sentido usted curiosidad por acercarse a verlos? A mí las fieras no me molan, pero
teniéndolas tan cerca...

—A veces he sentido curiosidad, pero he sofrena-
do mi impulso, porque ceder a él habría sido incum-
plir la promesa que a mí mismo me hice, cuando
acabé harto de la gente, de no salir de esta habitación más que con los pies por delante.

Rosi tocó madera.

—No hable de eso, David.

—¿Supersticiosa?

—Sólo un poquito, pero hay cosas que...

—Que le impresionan mucho. Por ejemplo: la
muerte, ¿no?

—Desde luego. Y no por superstición.

Se acercó a Rosi el marqués para mirarle a los
ojos y le preguntó con curiosidad, como de científico:

—Pero... ¿la muerte de uno mismo o la muerte de los demás?

—¿Qué más da? Todas. La mía, la del otro, la de los cercanos, la de los chinos, los indios, los negros, todas, todas... La vieja esa con la guadaña me cae malísimamente.

Ante el modo de expresarse de Rosi, el marqués sonrió, divertido.

—¿Usted se imagina a la muerte como una vieja, o sea: como una mujer?

—¿Le importa dejar ya eso?

—Le tiene miedo, ¿eh?

—Claro; y usted también.

Sí, era cierto, la temía, mas no como podía temerla una chica joven, como Rosi, para quien la vida aún no era una realidad sino una imaginación, pero imaginación que podía realizarse.

—Pero yo ya casi la conozco —respondió tras la breve pausa—, somos un poco amigos; una noche me hizo una corta visita; usted en cambio la ve muy de lejos. Para usted es sólo una imaginación.

—Pero en los cuentos de niños, si no recuerdo mal, a veces se aparecía de repente.

—Sí, es verdad. En la vida también.

Se quedaron un instante en silencio. Hasta ellos llegaba el rumor de la selva, que desapareció en seguida.

—¿Y la soledad? —preguntó el marqués.

—¿Qué? ¿La soledad, qué?

—Que si le da miedo.

Rosi antes de contestar meditó la respuesta, pero durante muy poco tiempo.

—No, creo que no. Miedo, no... Me aburre un poco.

—¿La soledad le da menos miedo que la muerte?

—¡Ni comparación! —respondió, esta vez sin necesidad de pensarlo.

—Yo pienso lo mismo.

—Usted eligió la soledad.

—Sí, porque me parece que aquí, encerrado, sin ver a nadie o a casi nadie... —Se tomó un respiro antes de continuar—. Y sin que nadie o casi nadie me vea..., evito algunas ocasiones de muerte. El corazón es muy débil y hay que protegerlo de los sustos. Yo tengo hijos, hijas, y por lo tanto, nueras, yernos...

—Ya, ya lo sé.

—Por las revistas, ¿verdad? Basilio de vez en cuando me trae algunas.

—Y por mis relaciones.

—También tengo nietos. Pero si no los veo, si no me ven, si ignoro sus problemas, sus alegrías y sus dolores, éste —se dio dos suaves golpecitos donde suponía que tenía el corazón— seguirá tranquilo. La vida es un regalo tan espléndido que hay que procurar no perderlo.

Recorrió Rosi con una mirada el gabinete en el que se hallaban, la celda, con vistas al jardín, del anciano marqués de Trespasos.

—¿Y esto es, según usted, la vida? —preguntó, sin disimular su escepticismo.

Muy convencido, respondió David:

—Sí que lo es.

—Si usted lo dice... Llevamos muy bien la conversación y no pienso contradecirle.

—La vida no es, como muchos creen, una gran batalla para perderla o ganarla; ni descubrir continentes o píldoras curalotodo, ni seducir a un número incalculable de personas del otro sexo o del mismo, ni manejar enormes cantidades de poder, de dinero, de influencia espiritual, ni emborracharse a diario, ni bailar hasta la madrugada...

—Hombre, yo no digo tanto. Todo eso ya es pasarse. Pero salir un ratito, en plan tranqui...

Pero el anciano marqués solitario ya no escuchaba, hablaba a la persona que tenía enfrente sin saber quién era, como hablaría a su criado Basilio, o a sí mismo, o a las paredes, o a la soledad.

—... ni participar en amenazadoras manifestaciones, o firmar o redactar manifiestos, o qué sé yo qué... La vida es simplemente un tic, tac, tic, tac, tic, tac, tic, tac... Es simplemente sentir ese tic, tac, tic, tac, tic, tac, tic, tac... Y hay que protegerlo cuidadosamente, envolverlo en sedas, en algodones... Vigilarlo, mimarlo...

—Y el aburrimiento, ¿qué?

—El fantasma del aburrimiento nos amenaza a los solitarios, es verdad.

Para levantarse se apoyó en la mesa y con la otra mano se acarició discretamente la rodilla dolorida. Se acercó a una de las estanterías repletas de libros.

—Estos libros casi todos son de la misma materia: historia, la mayoría, referentes al siglo XVIII; me acompañan más que muchos charlatanes, porque hablan de lo que entiendo y me gusta.

Sin dejar de hablar se había acercado al lugar en que tenía las pinturas y el caballete.

—Estos colores no se parecen en nada a esos libros, son mucho más distintos de lo que puede ser una persona de otra persona. Y el órgano...

Fue hacia el órgano eléctrico y, haciendo una breve pausa en su discursos, pulsó unas teclas.

—... algo totalmente distinto al silencio de los libros y de los colores. Todo esto cabe dentro de la soledad, que sigue siendo soledad. La soledad no desaparece, pero todo esto la remedia.

—Pero... los libros, los colores, el órgano, ¿no son muertos?

—No lo sé. Pero yo, yendo de unos a otros, estoy vivo. Ya he tenido un infarto, ¿sabe usted? Hace nueve años. Y ahora estoy mucho mejor que antes del infarto. Y al salir del susto, comprendí que yo era yo, que la vida era yo. Y lo comprendí entonces, a pesar de todo lo que había leído en los libros. Y comprendí que mi primera obligación era cuidar de aquella vida, que era la mía, la única que tenía, y que perdiéndola, todo lo demás carecía de sentido. Comprendí que yo era mi enfermero.

—Ya me ha dicho que hasta ahora los animales no le han molestado, pero ¿tampoco le ha molestado el público que llega al parque zoológico? ¿Nadie ha sentido curiosidad por visitar el palacio, por conocer al misterioso marqués encerrado?

—No llegan aquí. Es una de las condiciones.

145

—Entonces, ¿en estos meses no ha visto usted a nadie?

—Claro que no. ¿Cómo se le ha ocurrido eso?

Intrascendente, sin darle ninguna importancia, respondió Rosi:

—No sé... Pensé que a usted mismo podía haberle apetecido recibir aquí a algún visitante para charlar con alguien que no fuera Basilio. O salir de estas habitaciones para ver, ya que no a las fieras, por lo menos a la gente, a los niños.

—¡Quite usted, por Dios!

Durante un momento los dos se miraron en silencio. Luego el marqués respiró profundamente y apartó de Rosi la mirada.

—Usted no sabe por qué estoy aquí encerrado.

—Por todo lo que acaba de decirme.

—Sí, no la he metido; pero todo eso no me impediría salir de estas habitaciones, andar por las galerías, por el salón, por el parque.

—Es verdad.

—Pero el parque, las galerías, el salón tienen para mí un mal recuerdo, y reavivarlo sería hacerle daño a éste —se señaló el corazón—. Hace años, muchos, mi mujer me engañó con otro. Viéndola ahora parece imposible, ¿verdad? Esto se convierte en una historia ridícula.

—No, ¿por qué? Yo sé que la marquesa era guapísima, todos los que la han conocido lo dicen.

—Sí, guapísima. De las más bellas de Madrid, y de España. Yo aquel verano no estaba en el palacio, aunque la marquesa y yo aún no nos habíamos separado, ni había motivo para hacerlo. Pero un alma caritativa me informó de lo que sucedía. Aquel otro, el otro con quien me engañaba, un condesito andaluz, sobornó a parte del servicio, y en la noche atravesaba el parque, las galerías, el salón, hasta llegar a la habitaciones de Eulalia.

Quedó en silencio el viejo marqués, Rosi apartó de él discretamente la mirada y tampoco dijo nada.

—Por eso no salgo de aquí, para no tener que hacer ese recorrido, para no encontrarme con el recuerdo de aquel otro, porque si me encuentro con su recuerdo, eso podría afectarle a mi pobre corazón.

—Yo no voy de consejera por la vida, pero si el palacio tiene tan malos recuerdos para usted, vendiéndolo solucionaría sus problemas.

—Por este palacio nadie da nada, seguramente usted lo sabe, porque es monumento de interés histórico. Si le quitasen ese sambenito, algo se podría sacar. Pero no hay manera, aunque los del banco están presionando.

—Y, sin embargo, todo el mundo comenta que este palacio es muy feo.

—Sí, hasta lo dijeron en un artículo de la tercera de *ABC*. Y yo comprendo que es feo; y en el artículo decían que era feo ya de nacimiento, pero sobre todo por las reformas que hizo mi padre y por las que luego añadimos la marquesa y yo. Bueno, pues ni aun así... Resulta que hay un interés artístico, pero también hay un interés histórico. Y en este segundo entra que Carlos III se hospedaba aquí cuando venía a cazar. Y también entra que los rojos, cuando la guerra civil, tuvieron aquí un puesto avanzado de observación. ¡Es el colmo! ¿Carlos III?, vale; ¿los rojos?, también vale.

—Yo de política, paso.

David también pasó de Rosi y siguió a lo suyo:

—Lo que sí tenía buenísimo el palacio era el mobiliario, eso sí. Era tan bueno que también estaba prohibido sacarlo de España, y claro, dentro de España ¿quién iba a querer comprarlo, si no podía sacarlo? Eran los años de la especulación desenfrenada y del miedo a que la moneda se quedase sin valor. Nadie iba a comprar un buen sillón sólo para sentarse.

—Se comprende.

—¡Pobrecita, la marquesa, en aquellos años en que nos llevábamos bien, lo que sufrió buscando ebanistas que supieran camuflar las sillerías, los aparadores, los armarios y conseguir que pareciesen otros! ¡La de butacas y sofás que han salido de aquí despiezados, pata por pata, brazo por brazo, para que pudieran pasar la frontera sin que se advirtiese que eran mobiliario del siglo XVIII!

—Eso era contrabando, ¿no? Un delito.
— ¡Claro que era contrabando! ¿Quién lo discute? Pero el contrabando, usted lo sabrá por poco que haya estudiado, es una de las industrias que han salvado a las clases sociales más castigadas de este país: los pobres y la aristocracia. ¡Sin contrabando no medran más que los que tienen siempre los documentos en regla: los políticos, los funcionarios, los prestamistas!

—No se pase usted, David. Un tío mío era funcionario, se metió en política y acabó arruinado y murió en la cárcel.

—Se le olvidó ser prestamista. ¿A que sí?

—Pues, la verdad —hubo de reconocer Rosi—, ahora que usted lo dice...

—¿Y de mi pintura no se sabe nada, Rosi?

—Pues sí, a eso he venido.

—¿Se sabe algo de Lucas, el de Sacul?

—Sí, algo se sabe.

—¿Habló ya con el americano? ¿Le enseñó el cuadro?

—Sí, sí. La verdad es que he tardado en sacar el tema porque me daba corte.

—Malas noticias, ¿no?

—Pues sí, malas. Lo mío es no andar con rodeos.

—¿Qué ha dicho el americano?

—Que de abstracto, nada, como no lo firme Tàpies. Que el abstracto ya no vende. Que ya como hasta las monjitas pintan abstracto...

Apoyándose en los brazos de la butaca, el marqués se levantó despacio.

—Sí, ya entiendo. La monjitas y los marqueses.

Fue adonde estaban sus cuadros, de cara a la pared. Volvió dos. Uno de ellos lo tomó en sus manos para contemplarlo.

—El tiempo corre que se las pela. Parece que esto lo sabe todo el mundo, pero no se nota de verdad hasta que uno es viejo. Ya lo notará usted dentro de bastantes años, Rosi. Fíjese en este cuadro. Yo no sé si esto es bueno o malo, pero a mí me parece moderno. Cosas de la edad.

Se levantó Rosi para acercarse al marqués y contemplar también el cuadro.

—No creo que sean cosas de la edad —dijo—, porque a mí también me parece una modernez. Claro, que yo no entiendo de pintura. Pero no me importaría tener un cuadro de éstos en casa. Y lo pondría en sitio bien visible.

—Quédese con el que se llevó el otro día.

—¿«Rencor»?

—Sí, ése.

—Muchísimas gracias, David. ¿Me deja que a las visitas les diga que se llama «Cariño»?

—Como quiera: ya es suyo.

Esta vez Rosi para despedirse no le estrechó la mano, sino que le besó en las mejillas.

—Repito las gracias. Y ahora, tengo que irme. Antes de volver a Madrid quiero saludar a Vidarte, el de Safarisa. Hasta otro día, David. Y repito las gracias.

—Hasta cuando usted quiera, Rosi.

149

14

En este capítulo se tratan las dificultades del servicio doméstico, se descubren las causas ocultas de dos estados de ánimo y, para empezar, se añaden unas gotas de género policíaco.

David siguió con la mirada a Rosi mientras se alejaba por el amplio y sombrío pasillo. Después cerró la puerta. Quizás había hablado demasiado. Aunque en el fondo le daba igual, porque a aquella pájara le importaba poco lo que hicieran o dijeran los demás. Eso saltaba a la vista. La gente así, a la que no le importaba nada, tenía una ventaja: servían para eso, para desahogarse. Rápido y sigiloso fue hacia el ángulo del tresillo y los ventanales. Pero cuando estaba a punto de abrirlos, le interrumpieron unos golpes que sonaron en la puerta. Corrió hacia el caballete y se dispuso a pintar.

—Adelante, Basilio.

—Señor marqués, han vuelto esos señores.

—¿Los policías?

—Sí, señor marqués.

—Bueno, diles que pasen.

—No; ya se han ido.

—¿Entonces...?

—Ésta vez sólo querían hablar conmigo.

—¿Qué te han preguntado?

—Casi lo mismo que la otra vez. Que si sabía algo del señorito Antonio. Y también que si en estos últimos meses alguien había llamado por teléfono desde Brasil al señor marqués o a la señora marquesa. Les he dicho la verdad: que no había llamado nadie. También me han preguntado si sabía lo que era el dinero blanco y el dinero negro.

—Ah.

—Les he dicho que había oído hablar de eso, aunque no lo entendía muy bien —bajó la mirada, avergonzado por lo que iba a decir—. Pero que aquí no había dinero ni blanco ni negro. Perdone el señor marqués.

—Muy bien contestado, Basilio, muy bien. ¿Y nada más?

—Sí, me han preguntado si sabía yo por qué estaba el señor marqués aquí encerrado.

—¿Y les has dicho la verdad?

—No, señor marqués. Les he dicho que era una manía.

—Muy bien, muy bien. ¿Y nada más?

—Nada más.

—Tú, Basilio, eres el único que sabe la verdad de por qué hace años que no me muevo de estas habitaciones. Estoy seguro de que lo sabes, porque Pepe no pudo evitar decírtelo.

—Éramos una sola persona, señor marqués. Sí he sabido siempre por qué está usted encerrado. Y me gusta que el señor marqués me hable de esto.

—¿Ah, sí?

—Durante estos meses he esperado impaciente que lo hiciera.

—¿Puedo saber por qué?

—Claro que sí; porque hay algo que estaba deseando decirle, aunque nunca me habría atrevido a ser quien tomara la iniciativa; nunca, nunca.

Se acercó el marqués a su criado, como para infundirle confianza.

—¿Qué es ello? Dímelo de una vez.

—Que a mí, y lo puedo jurar por lo más sagrado, nunca me pareció bien lo que hizo Pepe. Y así se lo dije entonces, y se lo repetí. ¡Menuda agarrada tuvimos! ¡Menuda fue!

—Yo creo que Pepe tenía razón.

—¿Que tenía razón? —preguntó Basilio, escandalizado.

—Sí, y me sorprende que tú no lo comprendieras. Él solo de ninguna manera podría haber atendido al palacio si yo hubiera ocupado no solamente estas habitaciones, sino el despacho, el salón grande, las terrazas, el comedor, el vestíbulo, las galerías... No habría podido, Basilio.

—Pero a lo que me refiero es a que se lo planteó al señor marqués como una imposición, no me diga que no, y eso no estuvo ni medio bien. ¡Después de una relación de veinte años!

—Atiende, Basilio: el pobre Pepe, quizás la persona a quien más he querido en toda mi vida...

—En eso ni entro ni salgo; el señor marqués tiene mujer, hijos...

—El pobre Pepe, digo, con setenta años, estuvo más de seis meses queriendo ocuparse de todo. Pero acababa derrengado. Cuando tuvimos que despedir a Casilda y a Vicenta, Pepe intentó sustituirlas...

—Ya lo sé.

—Pero era imposible, absolutamente imposible.

—No, si eso lo comprendo. ¿Cómo no voy a comprenderlo? Yo tampoco podría.

—¿Verdad que no?

—Bastante trabajo hay con la comida y limpiar estas habitaciones y las de la señora marquesa cuando viene. Para una sola persona, trabajo más que suficiente.

—¿Entonces?

—La forma en que se lo planteó, la manera de decírselo: «O se encierra el señor marqués en su gabinete y alcoba o me marcho. Y arrégleselas como pueda.» ¡Después de veinte años! ¡Eso no estuvo bien! Aprovecharse de lo difícil que está el servicio doméstico. No estuvo bien, no estuvo bien. Y así se lo dije y se lo repetí al pobrecito Pepe, que gloria haya —hablaba casi entre sollozos, esforzándose en contener las lágrimas—. ¡Menuda pelotera tuvimos!

—No te atormentes con eso, Basilio. Compréndelo: Pepe tenía confianza para hablarme así.

—Cuando se es criado de casa grande, se es criado de casa grande. Los criados de casa grande no somos criados como los otros. Algo se nos tiene que pegar de los señores.

—Mejor que no —replicó el marqués sonriendo—, mejor que no se os pegue nada.

—Señor marqués, quería pedirle permiso para ausentarme durante una hora.

—¿Cuándo?

—Ésta mañana. He recibido un recado de la residencia de que le hablé. Me piden que me persone. Debe de ser para cualquier formalidad. Como tengo la plaza reservada... A lo mejor se ha presentado otro...

—Estás deseando irte a la magnífica residencia de cuatro estrellas, ¿verdad, Basilio? Con doscientos criados. Aquí te aburres, la soledad te agobia.

—No, señor marqués.

Volvió el marqués hacia el caballete.

—¿A ti te gusta jugar a las cartas?

—Sí, señor marqués.

—¿Allí se juega al póquer?

—Al póquer no, está prohibido; al mus, al tute, a la canasta...

—Y tendrás cuatrocientos viejos para charlar de tus cosas, en vez de tener a uno solo. Habrá criados de casa grande, ¿no?

—¡Sí, señor marqués —contestó Basilio repentinamente, sin poder contener su entusiasmo—; hay varios!

—¿Y en esa residencia puede ingresar el que quiera, con tal que pague?

—No lo sé. Es una residencia para trabajadores.

—Seguro que algunos se han colado con enchufes, con recomendaciones. ¿Hay habitaciones individuales?

—Todas son de dos camas. Pero algunas tienen saloncito. La mía es de ésas.

—¿Saloncito? ¿Y estás seguro de que sólo hay trabajadores?

—Creo que sí, aunque de muchas clases. No sólo hay obreros manuales. Hay empleados del Estado, hay músicos, maestros, comerciantes...

—Ya; me hago una idea... Pero ¿no sabes si hay algún... algún título?

—No lo sé, señor marqués, pero... no creo.

—Si puedes, entérate.

—Sí, señor marqués.

Y, como advirtió que con aquello su señor daba por concluido el diálogo, salió de la habitación.

En cuanto hubo salido Basilio, el marqués fue hacia el ángulo del tresillo y abrió las dos ventanas. No iba descaminado en lo de los policías... Pero allá ellos con sus líos. Corrió a sentarse al órgano y comenzó a tocar *El carnaval de los animales*. Bueno, se decía, allá ellos, siempre que a él no le enredasen. A los pocos instantes de iniciada la música apareció en una de las ventanas la jirafa y muy poco después, en la otra, el elefante.

—Hola, Dumbo; hola, Corbata. Os agradezco que vengáis tan pronto, en cuanto os llamo. Y que no os canséis de estas visitas. Basilio es un buenazo, pero no puedo olvidar que es marica, y los maricas para las confidencias, no sé, no sé... Lo mismo me pasaba con Pepe. No podía evitar la idea de que lo iba a largar todo. ¡Con vosotros sí que puedo hablar con libertad! De la pájara esa que vino antes no me fío ni un pelo, ¿sabes, Dumbo? Esa pregunta de si alguien ha querido verme... hum, hum... me huele a cuerno quemado... y a lo tonto, a lo tonto ha insistido bastante... Los policías han venido ya dos veces, y hemos estado aquí charlando, muy poco, no ha llegado al cuarto de hora cada vez, pero yo a la pájara le he puesto cara de panoli y le he dicho que no, que no ha venido nadie. A saber por dónde va...

Hablaba sobre la música, pero dirigiéndose claramente al elefante.

—Es natural que la gente sea así. La vida está muy dura. Nosotros, los solitarios, no hacemos daño a nadie; y si lo hacemos, es sin darnos cuenta.

Durante unos cuantos compases permaneció en silencio, abstraído en la música, como si no tuviera nada que decir o como si las palabras que pasaban por su cerebro no valieran la pena. Luego dijo, sin recobrar el hilo de su discurso anterior:

—Yo sé tocar el órgano eléctrico, pero en cambio no sé arreglar retretes.

Dejó de tocar. Descansó los brazos sobre los muslos. Estuvo así un momento.

—Y si se vuelve a estropear la cisterna vamos a acabar de mierda hasta aquí.

Señaló poco más o menos la altura de sus cejas. Volvió a reanudar la música donde la había dejado y tocó unos compases, no muchos. Después se levantó y se acercó un poco a los animales.

—Y ahora no están los cineastas para echar una mano. Que, por cierto, no molestaron nada. Casi ni los vi. A la artista esa, la Carmen Maura ni verla. Y lo intenté desde aquí. No con los gemelos de teatro, los de mamá cuando iba a la ópera, sino con otros más modernos, japoneses, que me regaló mi nieto. Pero ni verla, ya digo.

Se sentó en una de las butaquitas para seguir la conversación con más comodidad. Encendió un pitillo después de cortarle un trocito y de introducirlo en una boquilla, según su costumbre.

—En los años cuarenta yo iba mucho al teatro, a las revistas, sobre todo. A veces iba con dos amigos a primera fila...

Al recordarlo no pudo evitar que se le escapara la risa. Quizás se reía de sí mismo.

—... y también nos llevábamos los gemelos; los de mi madre, claro. ¡Qué cachondeo! Luego... tiempo después..., ya de casado..., me eché de amante a una *vedette* de revista guapísima, una mujer de bandera, y me enteré de que a ellas aquello de los gemelos no les hacía ni puta gracia, y que a nosotros, los de la primera fila, nos llamaban cabritos.

Se encogió de hombros, indiferente a todo aquello que el tiempo se había llevado.

—¡Cosas! Hasta que se es mayor no se entera uno de muchas cosas. De mayor, sí, de mayor lo sabes todo. Pero lo único que te importa es este jodío dolor de la rodilla. Lo peor de esto de ser viejo es que no se le quitan a uno las ganas de vivir. A mí ahora me gusta la vida más que cualquier otra cosa.

Se desentendió del pitillo que estaba fumando y clavó su mirada en el rostro del elefante, lo recorrió detenidamente.

—Tú debes de tener la tira de años. Pero, claro, a vosotros, así, a golpe de vista, no se os nota.

Cambió la mirada hacia su otro animal de compañía.

—Corbata debe de ser más jovencilla. ¡Quién me iba a decir a mí que vosotros ibais a hacer rentable esta finca! Que llenando Trespasos de monos, de leones, de jirafas, se convertiría en un negocio. Claro que a mí, a estas alturas, que esto se convierta en un negocio me tiene sin cuidado. Lo que me preocupa, de verdad, de verdad, es que me duele la rodilla, que hoy me está fastidiando... y qué pocos se libran de la artrosis... Pues anda, que la obstrucción de las coronarias... Lo malo de la artrosis es que duele, y lo malo de esto otro es que no duele, no avisa, y te tiene años con el alma en vilo. Yo no sé cómo teniendo lo que llaman «corazón irritable», no me he muerto hace años, cuando el porvenir de mis hijos me importaba. Porque, la verdad, y ahora que estamos en confianza, es que me han salido unos golfos. La niña, un pendón. Casada y con hijos, pero pendón. La otra, bueno, algo mejor, se casó con un australiano y viven en Nueva York, y como allí hay otras costumbres en la buena sociedad, borrachera todos los viernes y al volver a casa en los coches, cambio de parejas... ¡La hostia! Menos mal que están lejos. Pero la de aquí, yo, como el avestruz: la cabeza enterrada y a pensar en Carlos III o en la pintura abstracta.

Se interrumpió bruscamente porque había sentido un agudo y repentino dolor.

—Y en la jodía rodilla. Y queda él, mi hijo menor. Ése ya, después de las visitas de los policías, una de dos: el día menos pensado, multimillonario en Brasil, con protección oficial y su palacio en la selva, su hamaca, su whisky Bourbon y sus gachís para elegir, o el garrote vil: una de dos.

El elefante barritó.

—Ya, ya; que aquí han quitado la pena de muerte. Es verdad. Pues que se dé prisa, no la vayan a poner de nuevo. Bueno, y ningún día de estos os he hablado de mi hermana. ¡Un veneno, un verdadero veneno! sólo tuvo dos o tres meses maravillosos en su vida, poco antes de cumplir los catorce años, cuando acababa yo de cumplir los dieciséis. Entonces yo no vivía aislado. Al contrario, tenía muchos amigos y muchas amigas a mi alrededor. Éramos ricos y felices. Aunque la República estaba a punto de darnos un buen palo. Bailábamos el charlestón y la rumba. Ella, mi hermana, Raimunda, era más bonita que todas sus amigas. Al acabar aquellas reuniones, nos quedábamos aquí solos, en el palacio. Yo no era un joven tan atrayente como mi hijo Antonio, pero tenía las facciones muy correctas.

Barritó el elefante.

—No te rías, Dumbo. Ya sé que ahora os parece increíble; con los años se me han descolgado las carnes, me he encorvado un poco y mido unos centímetros menos. En realidad, soy un viejo ridículo. A propósito: muchas veces ha pensado que esto de viejo ridículo es una reiteración. Sí, la vejez es ridícula y vergonzosa. Por eso en algunas civilizaciones han consolado a los viejos confiándoles tareas inútiles pero vistosas, como el gobierno de los demás.

Se queda en silencio. Sumido en pensamientos no se sabe si profundos. O quizás ni piensa. Está en blanco. Volvió a coger el hilo.

—Pero no fue en el palacio despúes de una de aquellas cachupinadas. No; fue allí...

Se había levantado, y ahora, cerca ya del ventanal, señalaba hacia el fondo del parque.

—... donde ahora vivís vosotros, entre los matorrales de jara, un atardecer maravilloso. Yo ya tenía experiencia sexual. Había ido de putas unas cuantas veces. Y creo que no lo hice del todo mal. Para mí aquél sigue siendo uno de los recuerdos más gloriosos de mi vida. Para ella, no. Ella creo que lo hizo sin pensarlo, sin quererlo, porque perdió el autocontrol durante unos instantes. Para mí supuso unos momentos de felicidad intensa, inolvidable; en cambio para ella fue un trauma del que no se libró

157

nunca. Durante muchos días ni me hablaba, ni me miraba. Y desde entonces, durante sesenta años, nunca ha vuelto a hablarme ni a mirarme como a una persona. No sé si lo que hizo estuvo mal o bien, y vosotros tampoco podéis saberlo, porque tenéis la suerte de no saber qué diferencia hay entre el bien y el mal, pero sí sé que en lo que hizo muy mal fue en confesarse. Se lo confesó al párroco de Veredilla, un hombre sin imaginación. Seguro que el trauma no se lo provoqué yo, sino el párroco. La actitud odiosa de ella hacia mí la extendió a los demás y ha sido siempre una mujer áspera, resentida, incordiante. Dicen que, con el tiempo, se ha vuelto peor todavía. ¡Hay que ver qué consecuencias tan distintas puede acarrear un mismo hecho! Ella, una mujer malvada, histérica perdida; y en cambio yo, una persona normal. Con quien peor me he llevado siempre —¡y he pasado una revolución, una guerra!— ha sido con ella, con mi hermana. Yo aquello ni lo confesé ni se lo conté a nadie, sólo ahora, a vosotros. En estos meses me he acostumbrado a charlar contigo, Dumbo; y contigo, Corbata. Os agradezco mucho que vengáis cuando os llamo.

Fue hacia el caballete, tomó entre sus manos el lienzo que había en él y se lo mostró al elefante.

—Mira, en los ratos perdidos estoy haciéndote un retrato.

Alzó la trompa el elefante y barritó.

—No es para que te pongas así. En este género de pintura lo que menos importa es el parecido externo.

Se volvió hacia la jirafa.

—Cuando termine con el de Dumbo, te haré otro a ti.

Agitó su cuello la jirafa.

—No os cabreéis, no os cabreéis.

Volvió a dejar el cuadro en el caballete y corrió hacia el órgano. Comenzó a tocar la *Rapsodia* número 2, de Listz. Los animales dejaron de protestar, fueron calmándose.

—Así..., así..., tranquilos...

Tocó unos compases más y después se interrumpió.

—Gracias por aguantarme. Gracias por venir a escucharme. La soledad está bien, pero no cuando uno se acuerda de ella. Vosotros me ayudáis a olvidarla.

Se levantó y dio unos pasos hacia los animales.

—Y además habéis sido una ayuda oportunísima, porque Salvador el del banco ya estaba a punto de estallar.

Su aparente alegría duró sólo unos momentos. En seguida enmudeció y se nubló su semblante. Parecía preocupado, más que de costumbre. El silencio se prolongó. Había apartado el marqués la mirada de sus confidentes y, como hablando para sí, dijo:

—Lo malo es que no puedo preguntaros nada de lo otro, porque si os pregunto, no sabéis contestar.

Pero se decidió a hacerlo.

—¿Conocéis a mi hijo el pequeño?

Silencio. Ni barritó el elefante ni agitó su cuello la jirafa.

—No me refiero al primogénito, al multimillonario canadiense, sino al menor, al que está aquí... —Al momento, rectificó—. Bueno, no, al que no se sabe dónde está. Tengo mucho interés en saber si le conocéis, si él os conoce.

De nuevo barritó el elefante y de nuevo agitó su cuello la jirafa.

—Sí, está muy claro. Está muy claro que sabéis contestar; y que el defecto es mío, que no sé entenderos.

15

En el que se ausenta un personaje.

Pocos días después, aproximadamente a la misma hora, la marquesa Eulalia se presentó de improviso en el palacio. Descendió del coche, entró en el edificio, y, a través de los salones, pasillos y galerías se dirigió al gabinete y alcoba de su marido. Se hallaba éste en animada conversación con sus amigos cuando sonaron unos golpes discretos en la puerta, no la característica llamada de Basilio. La jirafa y el elefante, todo lo rápidamente que les permitió su corpulencia, se marcharon de los ventanales. David Trespasos preguntó, para ganar tiempo:

—¿Ha llamado alguien?

Y respondió secamente la voz de Eulalia, marquesa de Trespasos:

—Sí.

—¿Quién es? —preguntó, haciéndose el tonto, su marido.

—¡Soy yo, Eulalia!

Como los animales ya habían desaparecido, David autorizó, apacible y amablemente:

—Adelante.

Entró Eulalia y dejó la puerta abierta. No pudo disimular su sorpresa el marqués ante el atuendo de su esposa: iba vestida como las exploradoras de las películas de Tarzán. Incluso tenía puesto el salacot. Llevaba colgada una cámara fotográfica y unos grandes gemelos de campo.

—Pero, Eulalia... ¿qué haces vestida así?

—Voy a recorrer la finca en el coche para hacer un safari fotográfico. No sé lo que tú opinarás, ni me importa, pero ésta es la ropa más adecuada.

—No pienso discutir de este tema contigo; tú entiendes de trapos más que yo.

Con sequedad y decisión que no se prestaban a la menor réplica, dijo la marquesa, abandonando el tema del vestuario:

—David, tenemos que hablar.

—Habíamos decidido no volver a hacerlo, pero, en fin, te escucho. Habla cuanto quieras.

—No será mucho.

—¿Quieres sentarte?

—Sí, gracias.

Se sentó en una de las butacas, de espaldas a los ventanales. Miró a los ojos al marqués.

—Tú dirás.

—David —hizo una brevísima pausa, para dar más impulso a lo que diría después—: ¡se acabó lo de hablar con las fieras!

—¿Qué dices, Eulalia? —preguntó, sorprendidísimo, el marqués.

—¡Que se acabó eso de pelar la pava con el elefante y la jirafa!

Estupefacto, sinceramente pillado por sorpresa, hizo una pausa el marqués antes de preguntar:

—Pero ¿tú sabías...?

—¿Crees que soy tan tonta como cuando me conociste? ¿Que sigo siendo la tonta más guapa de Madrid? ¿Crees que vives rodeado de tontos? Todo el mundo ve a la jirafa y al elefante aquí, en tus ventanas, durante horas enteras. Lo sabe Basilio, lo saben los cuidadores, el personal de la oficina, las taquilleras, Vidarte el de Safarisa, Rosi Valles, ¡todos!

David estaba abrumado por aquella revelación, pero, por encima de todo, lo que no podía comprender era la indignación que manifestaba su mujer.

—Pero ¿a ti qué más te da que yo...?

—¡Vivimos de esto, David, a ver si te enteras! ¡Esto es un negocio! ¡Un negocio que nos ha salvado de la ruina! ¡Y llevamos un porcentaje!

—Ya lo sé, pero...

—¡Y hoy han venido ciento veinte coches! ¡Ciento veinte! ¡Y se dejan el dinero en el safari y en bebidas refrescantes y en el tiovivo y en el túnel de los misterios y en la noria! ¡Y los sábados y los domingos ingresamos el doble!

—Pero nada de eso tiene que ver con que yo, de vez en cuando, eche una parrafada...

Sin escucharle, Eulalia le interrumpió.

—¡Y si por ti tu elefante y tu jirafa hacen un estropicio, nos prohíben esto! ¿Comprendes lo que digo? ¿Eres capaz de entenderlo tú, el más inteligente de la familia? ¡Nos lo prohíben! Porque no es que tú no quisieras que las fieras estuvieran en este gabinetito, ¡es que está prohibido! ¡Está prohibido, ¿me oyes?! ¡Prohibido que haya elefantes y jirafas en las alcobas! ¡Llevo años sin poder gastar un cuarto, y ahora que puedo tener un desahogo, no estoy dispuesta a perderlo porque tú estés mochales!

—No creo que hablar con un elefante sea un síntoma de... de haber perdido el seso... Tú hablabas mucho con Tony, ¿o es que ya no te acuerdas?

—¡Tony era un caniche! ¡Qué tendrá que ver! Mira, David, de lo que ha pasado entre los dos, todo ha sido culpa mía, no digo que no. Lo acepto. Culpa por ser tan tonta, culpa por ser tan guapa...

Tras Eulalia se asomó a la ventana el elefante. Eulalia ni lo vio, ni lo oyó. David, al verlo allí, donde siempre, pero ahora tan cerca de la marquesa, quedó aterrado.

—No, no te asustes —dijo, sonriente, su mujer—. No voy a hacer nada contra ti. Te digo que de todo lo pasado tengo la culpa yo. Cuando le pusiste el piso a aquella guarra del teatro, culpa mía por liarme la manta a la cabeza y tomar venganza.

En silencio, esperó la marquesa una respuesta por parte de su marido, pero la respuesta no llegó. El marqués de Trespasos permaneció en silencio, hasta que ella gritó destempladamente:

—¡Di algo!

Por decir algo, David dijo algo que ya había dicho muchas veces.

—Cuando tú, Eulalia, te liaste la manta a la cabeza, como tú dices, a finales de los cuarenta... fuimos la comidilla de todo Madrid. Tú no fuiste nada discreta.

—Eran otros tiempos. Ahora nadie le habría dado importancia a aquello.

—¿Que no? Habríamos salido en todas las revistas del corazón. Sobre todo, si nos hicieran ahora una foto.

—Pero a lo que cuentan esas revistas nadie le da importancia. Los tiempos han cambiado, ahora todo es muy distinto. Recuerda, en cambio, a mi tío Federico, que antes de la República tuvo que matar a un rival en duelo.

—Sí, a mi primo Eduardo.

—Mis veleidades no pasaban de ser una diversión inocente, mientras que tú arruinaste la herencia familiar con el juego. ¡No lo vuelvas a hacer ahora!

—¡No compares el juego con el adulterio de la mujer! ¡Jugar no es ninguna inmoralidad!

—¡Pero jugar mal y perder el dinero de otro sí es inmoral!

—¡Cuando yo jugaba no estaba solo, había otros a la mesa!

—¡Sí, y algunos hacían trampas compinchados contigo! ¡Qué vergüenza!

—Sólo lo hice dos o tres veces, cuando me vi con el agua al cuello.

Sonaron unos golpes en la puerta.

—Adelante, Basilio.

Entró Basilio, y al ver al elefante tras la marquesa y casi pegado a ella, lanzó un grito contenido, poco menos que un estertor. Como Eulalia estaba justo delante del paquidermo, creyó que a quien había visto Basilio había sido a ella.

—¡Dios mío! —exclamó—. ¿Tan horrible estoy?

—No..., no..., señora marquesa...

—¡Por favor, Basilio —ordenó Eulalia—, aprende a disimular tus impresiones!

—Sí..., sí..., señora marquesa...

Aparentando naturalidad lo mejor que pudo, preguntó el marqués:

—¿Qué querías, Basilio?

—Decir... a la señora marquesa que el coche ya está listo; y que está esperando a la señora marquesa la persona que la acompañará en el safari. Creo que es el propio señor Vidarte.

Eulalia se levantó inmediatamente y fue hacia la puerta, muy decidida, sin mirar a David, ni a Basilio ni, desde luego, al elefante.

—Adiós, David, que lo pases lo mejor que puedas. No tengo más que decirte. Por mi parte no debemos hablar más.

Antes de salir, se volvió hacia David.

—¡Creo que me has entendido!

Y en ese momento vio al elefante. Se quedó paralizada. Lanzó un grito.

—¡Ah!

Se tapó los ojos.

—¡El elefante, el elefante...! —gritó y estuvo a punto de caer desmayada.

Basilio la sujetó. David se acercó, presuroso, a ella.

—¡No te asustes, Eulalia!

Basilio se la entregó a David, que la sostuvo unos instantes.

—No hace nada, es muy pacífico... —se la devolvió a Basilio—. Toma, sosténla tú.

Basilio la sostuvo, en lo que el marqués daba a su mujer cachetitos en las mejillas.

Eulalia dejó caer los brazos y murmuró:

—El elefante...

—Mírale, Eulalia —dijo el marqués—, no le tengas miedo. Se ha hecho amigo mío en estos meses. Es Dumbo.

—Qué va a ser Dumbo —negó Eulalia que iba volviendo en sí lentamente—. ¡Dumbo era pequeñísimo!

Se volvió hacia Basilio.

—Basilio, supongo que si llega el momento usted no tendrá inconveniente en servir de testigo.

Basilio no sabía qué decir; miró a uno y a otro, al marqués y a la marquesa, indeciso.

—Yo, señora marquesa, según para qué...

—El marqués se ha vuelto loco —se volvió hacia su marido y le miró a los ojos—. O se ha vuelto niño.

—Bueno... —aceptó el marqués—. Los viejos nos volvemos niños, ya se sabe, pero niños huérfanos. No tenemos mayores.

Despectiva, la marquesa le espetó en plena cara:

—¡Y tú te has creído que ese elefante es tu abuelo!

—Eso no, mujer; pero juego con él.

—¡Pero ese elefante no es de felpa, David!

—No, de felpa eran los ositos.

La marquesa, totalmente recuperada, tomó aliento, se irguió y a la vez que cambiaba la mirada de David al elefante y del elefante a David, se despidió de su marido.

—Ahí te quedas con tu amigo, David. ¡Despídete de él! ¡Y que no vuelva por aquí! ¿Me oyes? Creo que lo he dicho muy claro.

Y salió dando un portazo.

Tanteando las paredes llegó al portalón, donde, en un coche cerrado, la esperaba el encargado de Safarisa que había de acompañarla en su excursión; también andaba por allí Rosi, que la saludó efusivamente. Comprobó la marquesa si llevaba todos los artilugios necesarios y se metió en el coche, que al instante arrancó hacia la selva, la cercanísima selva con la que nunca pudo soñar Felipe II cuando eligió aquellos terrenos.

* * *

El marqués de Trespasos se quedó un instante inmovilizado contemplando la puerta por la que acababa de salir su esposa, aquel ser dulce y bobalicón que había conocido cincuenta años antes y al que había visto transformarse en una mujer algo más vivaracha y ligeramente parlanchina y años después en un auténtico monstruo, en una criatura socialmente insoportable. Estos instantes fueron aprovechados por Basilio para, sin ser visto por el marqués, sacar de bajo su chaquetilla blanca —era por la tarde— una de aquellas revistas que de vez en cuando, como sin darle importancia, mostraba a su señor y dejarla sobre la mesita. El marqués, sin hacer ningún comentario a la actitud de su esposa se sentó a la mesita y en el acto cayó su mirada sobre la nueva revista. La tomó en sus manos, la hojeó con displicencia y de pronto, ante lo que vio, se quedó estupefacto. Tras un breve silencio, reaccionó.

—¡Basilio, ve a ver si está aquí la señorita Rosi!

—Sí, acabo de verla con el administrador de Safarisa.

—¡Pues búscala, búscala y tráela, tráela, que venga aquí inmediatamente!

—¿Ocurre algo, señor marqués?

Aquella pregunta impertinente no merecía respuesta.

—¡Tráela! —ordenó el marqués, enérgico, conminatorio.

—Sí, señor marqués —y salió velozmente.

El marqués llevó la mirada de la revista que aún tenía en sus manos al elefante, que permanecía en el ventanal, sin duda aguardando que el marqués le diera un ratito de conversación.

—Un disgusto, Dumbo... Basilio ha debido de dejar aquí esta revista, porque antes no estaba, y me ha dado un disgusto torpemente, sin acordarse de mi corazón irritable, de mis coronarias... Ya sé que el hombre lo ha hecho con la mejor voluntad, para tenerme informado, pero conmigo hay que andarse con cuidadito, con mucho cuidadito. Perdóname que hoy no charle contigo, pero te agradezco tu compañía.

El elefante discretamente se retiró. Ya sospechaba el marqués por dónde iban los tiros. Releyó el pie de la foto que acababa de contemplar. «En las alegres noches de Marbella sigue siendo una de las parejas que más comentarios despiertan la formada por Antonio Rodríguez de Honestrosa y la señorita Rosi Valles y Mediavilla de la buena sociedad madrileña. Incluso se oyen rumores del posible divorcio del marqués de Trespasos. En la foto le vemos estrechamente enlazado con su bella acompañante femenina en uno de los más concurridos locales de la milla de oro.» Los chicos de la prensa con la nobleza casi siempre se hacían un taco. Ni su hijo era marqués ni nada que se le pareciera: era sólo un golfo, un sinvergüenza, un delincuente. Iba pasando las hojas, para buscar la fecha de la publicación. Era de hacía cuatro meses, poco más o menos. Sin duda Basilio había dejado la revista en la mesa deliberadamente, no por descuido, porque durante aquel tiempo no se había atrevido a informar personalmente al marqués. No se irritó David contra su criado, sino que comprendió los apuros que el pobre hombre debía de haber pasado.

Basilio encontró en la caravana de la administración a la señorita Rosi, y desde fuera, por señas, le pidió que se acercara. La expresión del semblante del criado era tan lóbrega que, atemorizada, Rosi le preguntó si ocurría algo grave. Basilio dijo que no sabía nada, simplemente que el señor marqués quería hablar con ella, y durante el largo recorrido hasta el gabinete permaneció en silencio. Cuando Rosi entró, consiguió hacerlo tan alegre, simpática y sonriente como siempre.

—¿Qué quiere, David?

Más que entregársela, el marqués le arrojó la revista.

—¡Mire esto!

A Rosi le bastó una ojeada para saber de qué se trataba, y pareció no darle la menor importancia.

—Ah, sí. Ya lo vi hace tiempo.

Se quedó mirando fijamente a David, que a su vez la miraba a ella.

—Pero ¿usted no lo sabía? —preguntó Rosi.

—¡Yo cómo iba a saberlo!

—Es de dominio público. Yo, David, se lo digo sinceramente y porque ya hay confianza, creí que usted se hacía el tonto.

—Vamos a ver si me entero de una vez. Según usted, yo lo que tenía que saber es que usted estaba liada con mi hijo.

—Si le gusta llamarlo así...

—Pero ¿debo saber también que entre usted, Rosi, y la marquesa, por inspiración del niño, de mi hijo Antonio, me enredaron para que yo aceptase esto del zoológico, que en realidad es un negocio para blanquear dinero negro, y que, como se descubrió todo, mi hijo Antonio tuvo que largarse a Brasil?

—Poco más o menos.

—Pero usted..., usted...

—Es algo así como aquello que hacían usted y la marquesa cuando despiezaban las sillerías para venderla en el extranjero, ¿o no? —Esperó inútilmente una respuesta—. ¿Tiene usted algo que decir?

—Nada —respondió, al fin, resignado, David.

—No es cosa mía si usted, por los años, no llega a darse cuenta de la realidad.

—Ustedes, los jóvenes, nos miran a los viejos acusadoramente, como si nosotros tuviéramos la culpa de nuestra vejez.

—Es un mal rollo, sí.

—Yo, ahora, estoy avergonzado de muchas cosas que he hecho; ustedes, los jóvenes, en cambio, no sienten vergüenza de las que van a hacer. Es una suerte.

* * *

Vidarte, el gerente de Safarisa, estuvo amabilísimo con la marquesa durante todo el recorrido. Eulalia pudo fotografiar a los monos, a los chimpancés, a los elefantes, a las jirafas, a los rinocerontes... Pero ella quería, sobre todo, llegar a la zona de los leones. Su animal preferido era el león. Consideraba que con eso no traicionaban a los perritos, al difunto Tony, pues eran tan distintos... Los leones eran la fuerza, el poderío, el dominio sobre las demás criaturas... A la marquesa, hacía muchos años, le gustaban los combates de lucha libre, porque le parecía que en ellos, a veces los hombres se comportaban como leones. La anciana marquesa parecía rejuvenecer mientras, con respiración agitada, hacía esas confidencias a Vidarte y cambiaba el carrete de su cámara fotográfica.

—Ya llegamos, ya llegamos... —dijo el amable Vidarte—. ¿Ve aquella mancha oscura que casi se confunde con la roca? Es un león.

* * *

Se abrió violentamente la puerta del gabinete y entró Basilio, demudado.

—¡Señor marqués, señor marqués! ¡Tómese el calmente!

Sin detenerse a mirar a los otros dos fue rápidamente hacia la alcoba y buscó un medicamento sobre la mesilla.

—¿Qué pasa? ¿Qué ha ocurrido?

—No puedo decírselo —dijo entrecortadamente Basilio—, no puedo decírselo hasta que se tome el calmante.

Y se acercó, rápido, con una píldora y un vasito de agua, al marqués.

—Siéntese, siéntese, señor marqués.

—Dime de una vez lo que pasa —y se tragó la píldora y el agua.

—Todos se lo habían dicho... —Basilio se expresaba torpe y precipitadamente—. Le habían advertido que no saliera del coche...

—Pero ¿a quién? —preguntó el marqués, irritado—. ¿De qué hablas?

—A la señora marquesa. Se empeñó en retratar a uno de los leones... Según dicen, estaba muy lejos... y por eso ella bajó del coche, con la cámara...

Sin escuchar más, sin preguntar nada, Rosi salió corriendo de la habitación.

—¡Qué dices! —exclamó el marqués, horrorizado; y se precipitó hacia uno de los ventanales.

—No, desde ahí no se ve nada. Los leones están hacia el otro lado.

—Pero ¿qué le ha ocurrido a la marquesa?

—Todavía no lo sé. Me pareció que yo debía venir aquí en seguida, para estar con el señor marqués. Dicen que el león estaba lejos. Pero parece que alcanzan una velocidad de cien kilómetros por hora.

Se lanzó como una flecha. Visto y no visto, dicen...
Llegó hasta la señora marquesa en unos segundos.
En el vaso aún quedaba algo del líquido efervescente.

—Tómeselo todo, señor marqués.

Con mano temblorosa, David se llevó el vaso a los labios, bebió el poco líquido que quedaba.

—Y el comprimido para el corazón, ¿lo lleva encima?

—Sí, aquí, en el bolsillo. Pero no te asustes, Basilio. Creo que no me va a ocurrir nada.

Se dejó caer de nuevo en la butaca y se tomó el comprimido.

—¿Quiere el señor marqués que llame a Madrid, al doctor Escuer?

—No, no, espera. En el zoológico tienen un buen servicio de urgencias.

—¿O llamo a don Gaspar, el médico de Veredilla?

—De momento, no; me encuentro bien, de verdad. ¿No podrías salir, a ver lo que se sabe?

—Discúlpeme, pero creo que debo estar con el señor marqués.

En silencio, había entrado Rosi. Se quedó cerca de la puerta. Basilio, en cuanto la vio, le lanzó una mirada interrogante. Ella negó, con un breve movimiento de cabeza. Basilio se le acercó instintivamente y preguntó en voz baja:

—¿Qué?

—Ha muerto —respondió Rosi en el mismo tono.

—No debemos decírselo —dijo Basilio sin alzar la voz.

—No debéis decírmelo —replicó el marqués—, porque lo he oído.

Rosi y Basilio se acercaron a él.

—Perdóneme, David —se disculpó la muchacha—. No creí que me oyera.

—No se preocupe, Rosi. No es culpa de nadie si tengo mejor oído que corazón. Qué disparate. Qué absurdo —se le quebró la voz, se le saltaron las lágrimas—. El muerto tenía que ser yo... —No pudo contener el llanto—. Eulalia... Lali... Tontita... Te has ido... Y te has llevado tantos años...

16

Desde que el joven Antoñito Trespasos recibió un sensacional regalo de cumpleaños, hasta que se acostumbró a bajar del «Victoria Club» en el «otro ascensor», con varias peripecias intermedias.

En la explanada de acceso al palacio, un coche deportivo, descapotable, un Jaguar fuera de serie.

Ésa fue la primera imagen que se le apareció al anciano marqués Trespasos cuando, ya en la cama, cerró los ojos y pidió al sueño que viniera en su ayuda. A pesar de los sedantes, no sería fácil tras la terrible impresión de la tarde. Un pensamiento avergonzaba al marqués. Si la muerte de la marquesa, devorada por un león, por un cáncer o por cualquier otra causa, hubiese ocurrido veinte o treinta años antes, habría sido para él más ventajosa, no sólo por una pequeña herencia que le correspondía y que con el correr del tiempo ya se había esfumado, sino porque en algo habría aumentado su libertad. Pero a estas alturas, ni existía aquella herencia ni la libertad le servía para nada al marqués. Éste es el pensamiento que le avergonzaba, pero que no podía evitar.

En cuanto al motivo de que se le apareciese la imagen del coche espectacular, era que la idea de aquel regalo había partido de Eulalia.

* * *

Emilia, Emi para todos sus conocidos, la hermana de Mario Pombo, respondía a las sospechas que despertaba en Eulalia, aunque ésta jamás la hubiera visto. Instinto de madre. Era una chica joven, veinte años, que exhalaba juventud por todos los poros de su cuerpo y a la que el haberse interesado por la revolución desde un punto de vista intelectual no le había disminuido en nada su atractivo físico. Se la adivinaba sexualmente bien dotada incluso cuando, sentada en uno de los colchones del apartamento de su hermano, discutía con otro de los reunidos, que también podía ser otra muchacha, cualquier concepto de Proudhom o de los equivocados comunistas, como Gramsci, tan de moda entonces. El espionaje de Medinilla daba sus frutos y llevaba hasta el palacio de Trespasos o la casona de Santa Isabel estas apreciaciones sobre las posibilidades de que la bella Emi fuese una fuente de conflictos para la familia Trespasos. Durante el tiempo que Mario permanecía en la cárcel, Antoñito Trespasos no dejaba de verla. Éste fue uno de los informes que el utilísimo bufón Medinilla facilitó a David.

Pero si Mario estaba en prisión, se alarmó David Trespasos, y los chicos seguían reuniéndose en su apartamento, ¿significaba eso que Antonio estaba convirtiéndose en jefe de ese grupo revolucionario? No tardó Medinilla en traer la respuesta a esa preocupación de su amigo. El comisario Molina tranquilizó a Medinilla y éste, a su vez, a Trespasos.

—No existe tal grupo revolucionario. Son sólo una pandilla de estudiantes que se reúnen a hablar de lecturas y a cambiar impresiones sobre ellas, y nada más. Bueno, sí, algo más. De vez en cuando fuman algún porro, y también algunas veces joden. Pero parece que más bien pasan el tiempo hablando hasta que sale el sol.

—Pero, aparte otras complicaciones, a mí lo que más me preocupa es que, precisamente este año en que Antoñito tiene que licenciarse, esa relación con la chica puede distraerle de los estudios, ¿no crees?

—Claro que puede distraerle, ¡joder, quién fuera él! Pero ¿cómo vamos a conseguir que un chico como tu hijo, que trae a las mujeres de calle, y una chica como Emilia, que se la rifan, no se distraigan?

—Tienes razón, no es fácil. Pero... ¿tú crees que Antoñito tiene intención de llegar con esa chica a algo formal?

—¡Yo qué sé! Para enterarme de eso no puedo recurrir a mi amigo el comisario.

—Eso sí que sería un desastre para nuestra familia. ¡Y en la actual situación!

La actual situación quería decir que David, marqués de Trespasos, no servía para nada, que su esposa Eulalia tampoco, que el hermano de Emi era un joven estudiante anarquista que acababa de salir de la cárcel, que la aristocrática familia estaba en la ruina y que el general Franco estaba en el poder.

* * *

El marqués de Trespasos era más bien torpe. Él lo sabía. O, por lo menos, sabía que esa opinión tenían de él los demás. Aunque por tradición le correspondía ser historiador y a ello había dedicado horas y más horas, no había logrado escribir más que un ensayo de quince folios para un libro monográfico sobre las reformas de Olavide. En pintura, no pasaba de ser un pintor de domingo. Y la música que sacaba del órgano eléctrico sólo servía para escucharla él. Quizás si algún día se decidiera a llevar una vida más retirada... Pero, en fin, para lo que se consideraba absolutamente inepto era para enfrentarse a los problemas familiares. Respecto al problema de Emi, el marqués le dijo una tarde al marquesito:

—Sácala de su casa, vístela bien, preséntasela a tu madre y ya está. La puedes traer aquí cuando quieras, como una amiga más. Incluso a pasar el fin de semana. O llevarla al «Victoria Club». En mi tertulia ya has visto que, aunque no sean genios, hay gente muy agradable.

David Trespasos pudo comprobar en el acto que conocía muy poco a su hijo, pues se sorprendió cuando éste, sin hacer el menor comentario, se levantó de la butaca, le dio la espalda, cruzó el gran salón y fue escaleras arriba hacia su dormitorio. Poco después el marqués oyó el ruido del poderoso motor del Jaguar, que se alejaba del palacio. Aquel incomprensible Antoñito ni siquiera se había despedido ni había dicho si volvería para cenar.

No lo hizo, pero sí volvió al día siguiente, aunque se encerró durante todo el día en un agresivo laconismo. Por encargo de Eulalia, el marqués tenía que hablar de otro tema con su hijo, pero prefirió dejar pasar uno o dos días, aunque sabía que la nueva proposición sería aceptada de buen grado por Antonio.

—Hemos estado hablando de ti tu madre y yo... Ya comprenderás que lo hacemos con frecuencia.

—Me lo imagino.

—Y los dos estamos de acuerdo. Lo cual con tu madre no es nada fácil.

—¿En qué estáis de acuerdo?

—En que, por el cambio de los tiempos y las costumbres, que se evidencia en todo, tú necesitas un apartamento en Madrid, en el que, aunque no tengas los lujos del palacio o de Santa Isabel, que, la verdad sea dicha, cada vez son menos, puedas pasar algunos ratos lejos de nosotros, de tu familia, con cierta libertad, sin necesidad de ir al piso de tu amigo en la plaza de Chueca.

El marqués creyó advertir que su hijo se sorprendía sinceramente.

—¿De verdad mamá está de acuerdo en eso? —preguntó—. ¿Seguro que le parece bien?

—Sí, casi me atrevería a decirte que partió de ella la idea. Aunque no puedo afirmarlo, pues es algo en lo que pensábamos los dos. Y si no lo habíamos aceptado cuando tú lo insinuabas, era por el estado de nuestras finanzas, que no es nada boyante. Pero he hablado para esto con Solís el del banco y con Navarrete, uno del ladrillo, y te hemos encontrado un ático en la calle Agustín de Foxá que estoy convencido de que es lo que tú necesitas. Cuando quieras, puedes ir a verlo. La marquesa tiene las llaves.

* * *

Las primeras personas que visitaron el apartamento, cuando todavía estaba sin acabar el amuebla-

174

do y la decoración, fueron Mario Pombo y su hermana Emi. El marquesito dijo que pensaba dar una fiestecilla para inaugurarlo, sólo con los íntimos, y ellos fueron los primeros invitados.

Un mes más tarde tuvo lugar la inauguración. Acudieron cinco o seis chicos y chicas de la mejor sociedad, pero, a pesar de la insistencia del anfitrión, no se presentó ninguno de los componentes del grupo de la plaza de Chueca, lo que a Antonio le amargó la fiesta.

En cambio, sin que se le hubiera tenido en cuenta para el acontecimiento, se presentó por sorpresa Medinilla, sin duda en condición de espía. Al tiempo que se abría la puerta, él abrió los brazos para mostrar las dos botellas de Möet Chandon que llevaba, una en cada mano.

—¡Desagradable sorpresa!
Cuando nadie lo esperaba,
Juan Medina aquí llegaba
sin invitación expresa.
Pero en la inauguración
de este bello apartamento
no precisa invitación,
pues, cual dice la opinión,
tiene cara de cemento.

El anfitrión entregó las botellas a los camareros, y los chicos y las chicas saludaron y abrazaron al famoso Medinilla. Él fijó su atención principalmente en una muchacha de larguísima melena.

—¡Licia! ¡Nada menos que Licia Gironda!

—¿Cómo estás, Juan? Ya veo que tan loco como siempre.

—Sí, afortunadamente no soy una persona equilibrada; nunca confiarán en mí para cargos de responsabilidad, gracias a Dios. Pero ¿qué haces tú en Madrid? Te hacía en Gerona.

—Papá está en Madrid para estafar a no sé quién en no sé qué ministerio y me ha traído a mí.

—¡Menudo adorno se ha buscado!

Licia Gironda era la chica más hermosa de la reunión. Su larguísima melena, que le llegaba hasta el cóccix, era del color de la lluvia; los ojos, grises, que a veces, según les llegara la luz, podían parecer de color violeta; labios carnosos, dientes grandes y blanquísimos. De aire muy desenvuelto, a una persona un poco rígida podía parecerle incluso desvergonzada. Pero ése era uno de su encantos.

En la posguerra, su padre había aumentado la fortuna heredada con una fábrica de tapones metálicos para botellas de refresco. Ahora en los sesenta, era accionista mayoritario de una cadena de hoteles en la Costa Brava.

Antonio estaba desconsolado porque no habían acudido a la inauguración sus otros amigos, y, en vista de que, quizás por esa frustración, la reunión no resultaba muy alegre, Medinilla propuso prolongarla en el «Victoria Club». Era la hora justa para ir allí, escuchar un poco de música imbécil y bailar algo apretaditos.

Las chicas bien que había en la reunión rechazaron en principio la idea. Aquél era un sitio de putas, y sus familias nunca les dejarían ir.

Pero Medinilla aclaró que no sólo había putas, sino también cómicos, toreros, estraperlistas, estafadores y hasta banqueros.

—Es más, suele haber matrimonios.

Convencidos, se fueron todos al «Victoria Club», donde el marqués de Trespasos recibió a su hijo y junto a algunas chicas, entre ellas Marta «la de las perlas», se fueron a un comedor reservado. Medinilla, al teléfono, se encargó de que rápidamente se presentaran unos flamencos.

Desde aquella noche, Antoñito comenzó a frecuentar el «Victoria Club» y sólo muy de tarde en tarde iba al piso de la plaza de Chueca.

Por aquellos días Emi le dijo:

—He tenido tres faltas. Estoy embarazada.

Emi tenía la idea de que era ella quien había perjudicado a Antonio, pues los padres de éste necesitaban utilizar a sus hijos para hacer buenos matrimonios y remontar su economía. A su vez, el joven Antoñito Trespasos creyó que en quien debía confiar era en el experimentado Medinilla, que poco a poco se había convertido en su confidente, quien le llevó al piso de Ferraz en el que vivía Marta «la de las perlas». Entre los dos trataron de convencerle de que casarse con Emi porque hubiera ocurrido aquello era disparatado. Medinilla había advertido con claridad, sin ninguna duda, que al marquesito le atraían extraordinariamente las mujeres, así, en plural. No podía apartar la mirada de Marta «la de las perlas» cuando la veía en el «Victoria Club», y el modo en que él y Licia Gironda se miraban cuando ella y su padre estuvieron invitados a almorzar en el palacio de Trespasos era francamente descarado. ¿Qué pensaba hacer Antoñito después de casarse con la hija de los drogueros, renunciar a todo aquello, o engañarla constantemente? Marta «la de las perlas» era una mujer adecuada para compartir aquella conversación y estuvo de acuerdo con Medinilla en que la mejor solución era un legrado. Pero, preguntó Antonio, ¿cómo plantearle eso a Emi? Cuando fue Medinilla el encargado —para evitarle dificultades a Antonio— de planteárselo, se encontró con la sorpresa de que Emi ya contaba con ello. Tanto Medinilla como Antonio le dijeron que un poco más adelante, cuando él tuviera una posición, podían considerar de nuevo sus relaciones, incluso la posibilidad de casarse. Medinilla la puso en contacto con Matildona, que se encargaría de todo. El día de la intervención, Medinilla acompañó a Antonio, mientras ambos esperaban en la cafetería de enfrente de la clínica, en la calle Serrano, a que salieran Emi y Matildona. Todo salió bien y se fueron al apartamento de Antoñito en Agustín de Foxá para que Emi reposara. Para Antoñito Trespasos todo había resultado muy fácil.

Muy poco tiempo después Umbría, el abogado, le colocó en su bufete y le encomendó los asuntos más fáciles y más productivos. Este éxito profesional y el atractivo que siempre había ejercido sobre las mujeres le convirtieron pronto en un hombre de moda.

A partir de que Marta «la de las perlas» le invitó a su casa de Ferraz, una noche en la que no fue su padre, el marqués de Trespasos, Antonio dejó de ver a Emi. Marta no le prohibía que la viera, pero era él el que no quería.

* * *

David Trespasos iba cada vez menos al «Victoria Club», que ya no era el de antes. Pero, en cambio, Antoñito Trespasos comenzó a ir con frecuencia. Aunque no a la mesa de los ricachondos que, en realidad, ya no existía. Iba con su jefe, Umbría, y con Medinilla. O con uno o dos jóvenes de su edad y de su clase. Tampoco le importaba codearse con los toreros de moda o con la gente del cine y el teatro.

Medinilla le dijo a David que a su hijo Antoñito quien le gustaba con locura era Marta «la de las perlas».

—Que se quede con ella —respondió el padre—. Yo ya estoy un poco mayor, ¿no crees?

—Sí, a nosotros nos convienen ya más jovencitas.

David Trespasos dejó de ir al «Victoria Club» y lo sustituyó por unas reuniones en las que se jugaba al póquer hasta que el sol se filtraba por las rendijas de las persianas.

El padre de Licia Gironda invitó a Antonio a un recorrido en su yate por las calas de la Costa Brava. Al concluir, cuando Antonio Trespasos regresó a Madrid, se formalizó el compromiso de boda con Licia, aquella bellísima chica desenvuelta y desvergonzada que conoció el día de la inauguración de su apartamento.

Una noche como otra cualquiera, cuando ya David Trespasos había dejado de ser un asiduo del «Victoria Club», Medinilla estaba con Umbría y con los hermanos Lechuga y muy cerca de ellos, en otra mesa, Antonio con Marta «la de las perlas». Disfrutaba Medinilla de una posición adecuada para su habitual labor de espionaje que le permitía transmitir después algunos datos a su amigo el marqués.

Entró en el comedor un muchacho que se detuvo nada más traspasar la puerta y miró a un lado y a otro, como si tratase de encontrar un lugar vacío en el que acomodarse o como si buscase a alguien.

A Medinilla le sonó la cara del recién llegado.

—Yo creo que conozco a ese muchacho. ¿Sabéis quién es?

Umbría y los Lechuga dijeron que no le recordaban de nada, pero ya Medinilla le reconoció, aunque no tenía por qué manifestarlo allí. Era Mario Pombo, aquel amigo y compañero de estudios de Antonio, el que le había corrompido con su disparatadas ideas políticas.

Mario se dirigió a la mesa de Antonio, y desde ese momento Medinilla no apartó de él la atención.

Cuando el sorprendido Antonio vio quién era el hombre que en silencio se había detenido ante su mesa y permanecía de pie frente a él, le saludó amablemente y le invitó a sentarse, a que bebiera algo.

—No, gracias —respondió con sequedad el antiguo amigo—; sólo quería verte aquí.

—Pero siéntate un rato y bebe lo que quieras —insistió el marquesito con una sonrisa—; hace muchísimo tiempo que no nos vemos.

El recién llegado permaneció un instante en silencio y después repitió:

—Sólo quería verte aquí.

La situación de Marta era un poco violenta, y Antonio lo comprendió.

—Permíteme que te presente. Mi amigo Mario Pombo, también compañero de Facultad: el abogado laboralista Mario Pombo, quizás hayas oído hablar de él.

Marta ofreció la más espléndida de sus sonrisas para responder:

—No, creo que no. O, por lo menos, no lo recuerdo.

Antonio concluyó la presentación.

—Marta Ferrater, una amiga.

—Mucho gusto —dijo Mario, sin salir de su indiferencia—. No lo tome a descortesía, pero sólo quería ver a Antonio aquí.

—¿Aquí, precisamente? —preguntó Antonio.

—Sí.

A Antonio le pareció oportuno desviar la lacónica conversación, y preguntó a Marta frívolamente:

—¿Llamamos a Ketty y que se siente con nosotros? Me parece que está sola.

Mario Pombo no apartaba la mirada de los ojos de Antonio.

—Gracias, Antonio. Pero no, no voy a quedarme.

A Antonio le era difícil sostener la mirada a Mario.

—¿Cómo está Emi? —preguntó.

—Esperaba que me preguntases por ella. Era lo natural en una persona de tu educación. Está bien, muy bien. Ahora vive con Jacinto, el que estudiaba Económicas. ¿Te acuerdas de él?

—Sí, claro que me acuerdo. Aparte de que tenía talento, parecía muy buen chico.

—No sólo lo parecía. Lo era. Y lo sigue siendo.

Antonio, para apartar la mirada de su antiguo amigo, bebió un trago de whisky.

—Si hoy no te apetece —dijo después—, pásate cualquier otra noche. Llama antes por teléfono, por si no estoy. Pero casi siempre vengo.

Mario Pombo no respondió al ofrecimiento.

—Buenas noches, Antonio. Que sigas divirtiéndote. Encantado de conocerla, señorita.

Dio media vuelta y se dirigió hacia la salida. A mitad de camino un camarero le preguntó:

—¿El señor desea una mesa?

—No, gracias. He venido sólo a dar un recado.

Y siguió su marcha hacia el ascensor.

—Tu amigo es un poco borde, ¿no? —comentó Marta mientras le seguía con la mirada.

Antonio Trespasos no respondió. Apuró su vaso de whisky. Después llamó al *maitre,* que pasaba cerca.

—Alvarito, Alvarito... ¿Quieres decirle a Ketty que venga a tomar una copa?

—Sí, señor marqués —respondió, solícito, el *maitre.*

Marta miró, sorprendida, a su amante.

—Ahora ya, ¿para qué?

—Porque yo quiero —respondió intemperante el marquesito—. Alvarito, diles a los Marimbas que toquen «Caminemos».

Ya se alejaba el *maitre* a cumplir los dos encargos, cuando le alcanzó la voz de Antonio. Algunos de los clientes de las otras mesas volvían la cabeza hacia la de Trespasos con la esperanza malsana de presenciar un inesperado espectáculo de los que no escaseaban en el «Victoria Club». Desde su inauguración, hacía ya más de veinte años, casi todas las noches había alguna bronca, más o menos violenta, pero con la llegada de los americanos de la base la frecuencia y el peligro de las disputas había aumentado.

—¡Alvarito, llama también a Lucy y a la Mejicana! Veo que las dos están allí, solas, en la mesa del palquito. Y pide dos botellas de Chivas, dos.

Pancho Ramírez, el tenor del grupo «Los Marimbas», ya entonaba:

—No, ya no debo pensar que te amé.
Es preferible olvidar que sufrir.
No, no concibo que todo acabó,
que este sueño de amor terminó...

Poco después, Medinilla, que, sin dejar de atender a sus compañeros de mesa, lo cual no era difícil pues no decían nada, no había perdido de vista a Antonio Trespasos y a las cuatro mujeres que le habían rodeado, se levantó rápidamente.

—Perdonadme —dijo a Umbría y a los Lechuga—. Me parece que a ese loco de Antoñito Trespasos le ha pasado algo. Voy a ver si puedo ayudarle.

Antonio Trespasos, que durante media hora no había dejado de beber a pesar de los esfuerzos de Marta por impedirlo, acababa de derribarse sobre los vasos, las botellas y el mantel de la mesa.

—Yo voy contigo —dijo Umbría, el abogado—. Pero creo que no está más que borracho.

Entre los dos llevaron a Antonio al vestíbulo. Marta fue con ellos. Diligente, el *maitre* se acercó al grupo, a echar una mano.

—Al otro ascensor, Alvarito —dijo Medinilla—, al otro ascensor.

17

Noche de insomnio en la que el marqués de Trespa-
sos hurga en su conciencia y acusa y se acusa retros-
pectivamente. Al final, una referencia al capítulo I.

No sólo la idea del Jaguar,
sino la del legrado de Emi y las de todo lo demás. La
de pedirle a Umbría que metiese a Antoñito en su
bufete y la del apartamento en Agustín de Foxá. Y la
de la boda con la golfa de Licia Gironda, todas,
todas aquellas ideas habían partido de Eulalia. La
marquesa se las fue imbuyendo a él noche tras
noche, a partir del día en que detuvieron al marquesito, y a ella, a Eulalia, bueno, y en fin, también a él,
al marqués, les acosó el miedo de que el chico se
convirtiera en un revolucionario y con esa locura
hiciese peligrar aún más la posición de la familia
Trespasos.

El anciano marqués, en su insomnio, trataba de
justificarse retrospectivamente. Ella, ella se había
aprovechado de que él fuese un hombre de voluntad
muy débil. Aunque lo cierto era que él dio su aquies-
cencia. Sí, lo recordaba muy bien. Incluso se pusie-
ron de acuerdo en que sería conveniente consultar
con el padre Somontes, S. J., y con el primo Ceferi-
no, que era del Opus Dei. Sin hablar con palabras
claras, sino con sobreentendidos, todos estaban de
acuerdo incluso en que el marqués cediera su amante a su hijo. Se trataba de facilitarle todo, de que
nada le resultara difícil, ni terminar la carrera, ni
encontrar trabajo, ni ganar dinero, ni tener mujeres...

El plan dio el resultado apetecido, pero era un
plan siniestro y sin duda contribuyó a aumentar el
desamor que ya existía entre Eulalia y David. Así lo

pensaba desde hacía años el marqués. Pero algo quería dejar claro ante su propia conciencia. La idea había partido de ella, de Eulalia, que quizás acababa de pagarlo todo con su espantosa muerte.

Y mientras las lágrimas humedecían la almohada, se repetía a sí mismo silenciosamente: fue ella, fue ella...

Podía haber sido él, simplemente, un cómplice. Lo aceptaba así, pero seguía fustigándose: ¿qué pretendían con aquella actitud, con aquella serie de actos destinados a torcer la voluntad de su hijo, sus creencias, su modo de ser?

—Te estás convirtiendo en un hombre inexistente... —había dicho en cierta ocasión a su hijo.

Y poco después él había contribuido a aumentar esa inexistencia, a hacerla definitiva. ¿Para qué? ¿Con qué propósito? ¿Para defender la dignidad de su estirpe? ¿Para servir a un soberano? ¿Para salvar a la patria? ¿O quizás, solamente, para tener más dinero, para salvarse ellos, la familia, de la ruina económica?

Alguna vez habían hablado Eulalia, David y Medinilla de que aquel muchacho estudiante y droguero, el tal Pombo, había corrompido a Antoñito con sus disparatadas ideas anarquistas.

No se atrevía el anciano a denominar de una manera definitiva aquello como corrupción, porque, en tal caso, ¿qué era lo que ellos, su mujer y él, habían hecho con su hijo? ¿Salvarle o corromperle? ¿No debía considerarse el dinero más sucio que cualquier ideal, aunque el dinero fuera fácil de alcanzar y el ideal un imposible? Eran preguntas que llegaban un poco tarde, que el viejo aristócrata se formulaba con muchísimos años de retraso, cuando ya la respuesta, la que fuera, resultaría inoperante. Pero en lo años más fértiles de su vida, cuando las preguntas y las respuestas podían ser útiles, ¿qué le había llevado a él a evitar definirse? ¿A eludir las responsabilidades? ¿El afán de comodidad? ¿El temor a equivocarse, a ser injusto? ¿Una tendencia a la facilidad que alguien le había imbuido?

¿No pudo él reaccionar ante las insinuaciones de su mujer y las afirmaciones del padre Somontes y el primo del Opus Dei? ¿Fue justo, incluso para sí mismo, que se abandonase a aquella comodísima pérdida de voluntad que él a veces recomendaba? ¿O él mismo quiso que le sacasen las castañas del fuego de su conciencia induciéndole a hacer algo que él consideraba utilísimo para su economía?

Entre todos aquellos nubarrones, algo veía claro, aunque fuese en la zona más oscura de su conciencia: Eulalia y él habían corrompido, aunque con la intención de salvarle y de salvarse, a su hijo Antonio. Y al corromperle, ellos habían sido los corruptos.

Quizás la renuncia a seguir pensando, porque sus pensamientos empezaban a producirle asco, fue lo que hizo que el sueño le acogiese.

Pero de repente se despertó. ¿O acaso no había llegado a dormirse? ¿Llevaba varias horas durmiendo, sólo unos minutos o no había conseguido vencer el insomnio? De cualquier manera, estaba aterrorizado. Se incorporó dificultosamente, apoyándose de codos en el colchón. ¿Era un sueño o un pensamiento? No existía; él, David Trespasos, no existía. Recordó que en cierta ocasión le había dicho a su hijo: «Eres un hombre inexistente», y ahora era él el que no existía. El terror se apoderó de él al pensar que si tenía el valor de mirarse en el espejo no contemplaría su imagen, como les sucedía a los vampiros.

Con mucho trabajo, se levantó de la cama, se apoyó en un mueble, respiró profundamente y fue a mirarse al espejo. No existía, no existía... acababa de comprenderlo. Tuvo que encender la luz de una lamparita. Sí, su imagen estaba allí, en el espejo, pero eso no confirmaba su existencia.

Apoyándose en las paredes, agarrándose a las cortinas del arco a la italiana, llegó al gabinete. La oscuridad era profunda. Faltaba tiempo para el alba. ¿Cuánto? Encendió otra lamparita y consultó el reloj de la consola. Quizás dentro de un cuarto de hora las primeras luces del alba comenzaran a verse desde uno de los ventanales, que estaba orientado al este. El marqués abrió la licorera y echó aguardiente en una copita. Se la bebió de un trago y sintió que le caía como un tiro. Tuvo que beber unos sorbos de agua. ¿Cómo podía causarle tanto dolor en el gaznate aquel chorrito de agua de fuego si él no existía? Daba vueltas en el centro del gabinete girando sobre sí mismo... Abrió las hojas de los dos ventales... Volvió a las vueltas...

—No existo, no existo... —musitaba—. Hace muchísimos años que no existo...

En realidad, esta tragicomedia la representaba porque tenía necesidad de ello y también para hacer tiempo hasta que la débil blancura del alba llegase a sus habitaciones. Se acercó al órgano eléctrico, lo abrió... Echó una última mirada al horizonte y le pareció que empezaba a clarear... Comenzó a tocar *El carnaval de los animales.* No habían pasado cinco minutos cuando tras el recorte de la montaña que servía de telón de fondo comenzó a aparecer una calva anaranjada y el gabinete del marqués de Trespasos se inundó de luz lechosa.

Casi inmediatamente, sobre los alféizares de los dos ventanales se encontraban el elefante Dumbo y la jirafa Corbata. Abandonó el órgano el marqués, con los ojos húmedos.

—Gracias, gracias, Dumbo... Gracias, Corbata... Gracias a los dos por acudir a mi llamada... Hoy os necesito más que nunca porque tengo que pediros perdón... Debéis perdonarme porque, en realidad, no existo, os he tenido engañados.

Sintió que la presencia de sus dos amigos le serenaba y se dejó caer en una butaca, frente a ellos. Pudo hablarles fría, calmosamente. Y explicarles una cosa terrible que habían hecho con él hacía muchos años, en su juventud. Pero lo explicó sin emoción, como quien da una conferencia o dicta una lección en un aula.

—Fue algo terrible, imperdonable. Lo mismo que hice yo con mi hijo... que hicimos mi mujer y yo con

186

nuestro hijo, eso habían hecho años antes mis padres conmigo...

Y hasta esta noche, hasta hace unos instantes, no lo he comprendido. Me vaciaron, ¿entendéis? Me quitaron la existencia.

18

La cisterna

Ya hacía tiempo que en el caserón de la calle Santa Isabel se había operado un cambio trascendente. La planta noble había pasado a pertenecer a lo condes de Valletorcaz, y Raimunda Rodríguez de Honestrosa, la hermana de David Trespasos, se conformó con la segunda. De la tercera se hicieron varios apartamentos para alquilar. Esta operación fue concebida por Raimunda para obtener un beneficio económico —una de aquellas especulaciones que al marqués le repugnaban.

La anciana doncella, impecablemente vestida con delantal y cofia, entró en el sombrío saloncito en el que la anciana señora hacía un solitario y le informó de que su hermano, el señor marqués, la llamaba al teléfono. Con dificultad se levantó Raimunda y con la ayuda de un bastón con empuñadura de plata fue a la sala en que tenían el teléfono. La casa estaba en absoluto silencio, pero hasta ella llegaban los ruidos y el vocerío del cercano mercado.

Tomó la señora el microrreceptor y preguntó, desabrida:

—¿Cómo estás, David? Supongo que muy mal para que te hayas dignado llamarme.

* * *

Mientras tanto, en Trespasos, en presencia del juez y de la policía, los cuidadores encerraban a las fieras en los grandes contenedores. Había terminado la aventura. La selva volvía a la selva y las estribaciones de la sierra volvían a ser o que siempre habían sido. Unas cuantas hectáreas de viñedo, y, como característica del monte bajo, grandes espacios de jara de verde plomizo, sin la alegría de sus flores blancas, bajo el cielo ya otoñal. Hasta el gabinete del marqués, a pesar de haber cerrado los ventanales, llegaban los ruidos de los motores, las voces, los rugidos, que dificultaban la conversión telefónica del marqués.

Basilio, con el semblante contrito, iba y venía de la alcoba al gabinete, a pasos lentos, como si así pudiese ayudar a que fuera también más lenta la marcha del tiempo, a que se retardaran los hechos, haciendo las maletas del señor marqués.

—Sí, sí, desde luego. Claro que lo comprendo, mujer —aceptaba el marqués, aun sin haber entendido muy bien algunas de las palabras que le llegaban por el auricular; pero estaba dispuesto a aceptarlo todo, a entenderlo todo—. Es lo natural. Como tú quieras, no faltaba más.

—Si necesitas una enfermera permanente —escuchó—, comprenderás que yo no puedo atender a ese gasto.

—No debes preocuparte por eso, puedes estar tranquila; no soy un moribundo.

Algo se le humedecieron los ojos a Raimunda al replicar:

—Pues si no estás moribundo, me sorprende que al fin hayas decidido recurrir a mí, con la manía que siempre me has tenido, y que no te has esforzado en disimular, ni ante mí ni cuando hacías comentarios con los demás, con nuestras amistades.

Elevó los ojos al cielo David como pidiendo al Señor que aquella conversación concluyese cuanto antes, puesto que todo lo que se dijese después no sólo era ya innecesario, sino que estaba condenado a seguir escuchándolo —o, por lo menos, oyéndolo— durante sus últimos años y, de momento, a él le interesaban mucho más los ruidos que llegaban del exterior, los de los cuidadores encajonando a las fieras, a sus fieras, al tiempo que decía:

189

—Te equivocas, de verdad que te equivocas; siempre te he querido. Y mucho. Aunque a veces, por mi carácter, no haya sabido demostrártelo como hubiera deseado. Pero ya sé que tú siempre has creído todo lo contrario.

Procuró Raimunda, a pesar de la ligerísima humedad de sus ojos, que su voz sonase lo más seca posible.

—Nada de eso importa ahora, David. No vamos a ponernos cursis a estas alturas. Lo que importa es que puedes venir cuando quieras a esta casa. Aquí ya lo tienes todo listo.

—Gracias... Gracias otra vez —respondió el marqués, intentando que su voz expresase ternura, no resignación—. No sabes cómo te lo agradezco.

—Me lo imagino.

—Te lo agradezco de todo corazón.

Ahora sí consiguió el máximo de sequedad Raimunda.

—De nada, hermano —y colgó.

Lo mismo hizo su hermano David.

—Ya está, Basilio; ya está hecho —dijo a su criado con una indiferencia tan excesiva que dejaba traslucir inevitablemente la gravedad de lo que acababa de hacer.

—No se preocupe el señor marqués. La verdad es que no había otra solución —afirmó el criado, sin abandonar su labor de hacer las maletas.

El marqués no hizo el más mínimo esfuerzo por disimular la mirada de odio que lanzó al teléfono, como si el pobre, inocente aparato fuese la personificación de un repugnante ser humano.

—No, no la había, tiene razón —corroboró, y de nuevo con indiferencia, esta vez torpemente simulada, preguntó a Basilio—: ¿Te enteraste en tu residencia de aquello que te dije, lo que comentamos el otro día?

Hurtó la mirada a su señor el criado y la llevó a los ropajes que iba colocando en las maletas.

—Ayer mismo, señor, porque, perdóneme, pero me dio la impresión de que al señor marqués le interesaba mucho. Hablé con el señor Escobar, que es el secretario, el que se ocupa de todo esto. Y que parece muy buena persona y al que creo que le caigo muy bien, aunque sólo nos hemos visto tres o cuatro veces. Pero me dijo que tenía que consultar todo el fichero. Son cuatrocientos residentes.

—Es natural. Lo comprendo —dijo el marqués automáticamente, por decir algo, de la misma manera que pocos minutos antes intentaba seguir la conversación con su hermana, porque, en realidad, estaba más pendiente de los ruidos y las voces que seguían llegando de afuera.

—Quedó en que, después de consultar el fichero, llamaría por teléfono esta misma mañana.

—¿Quién? —el señor marqués se acercó a los ventanales.

—El señor Escobar, el secretario de la residencia.

—Ah, muy bien.

De pronto, por encima de los ruidos que llegaban desde el safari, se oyó, bastante más cercano, al elefante, que barritaba. David se precipitó, convulso, fuera de sí, hacia uno de los ventanales. Lo abrió lo más rápidamente que pudo, maldiciendo entre dientes por lo mal que funcionaba la falleba.

—¡Dumbo! ¡Dumbo!

Se volvió hacia Basilio, cuando consiguió abrir.

—¿Has visto, Basilio? —preguntó con voz enronquecida por la emoción—. ¡Viene a despedirse! ¡Se ha escapado de los cuidadores y viene a despedirse! —aunque hablaba a Basilio, ahora miraba hacia el fondo del parque—. ¡Y Corbata también!

Basilio, menos sensible que el marqués de Trespasos, no dio demasiada importancia al acontecimiento y siguió trasladando ropa del armario a las maletas.

—Sí, hay animales que son muy cariñosos —comentó como si el elefante y la jirafa fueran dos pequeños animales de compañía.

* * *

191

Los policías corrían de un lado a otro. Unos empleados de Safarisa habían dado la alarma. Tres o cuatro cuidadores corrían ya hacia el palacio. Otros se habían encaramado a un todoterreno que arrancó al instante. Todos daban órdenes, gritaban, maldecían, blasfemaban. Uno de ellos hizo dos disparos al aire. Prudentemente, el juez y su secretario corrieron a tomar plaza en el coche que los había llevado. Por lo visto, según deducían del griterío, se habían escapado una jirafa y un elefante y quizás algunos animales más.

Las voces enérgicas, amenazantes de los cuidadores llegaban al gabinete, y David, trémulo, angustiado, sin separarse del ventanal se volvió hacia Basilio y gritó con voz entrecortada:

—¡No les dejan venir, Basilio, no les dejan! ¡Esos hijos de la gran puta nos les dejan venir aquí!

—Es natural, señor marqués —dijo tímidamente el criado, como si el sentido común pudiera servir para algo—, tienen que enjaularlos.

Pero no estaba el marqués en aquel momento en disposición de escuchar los argumentos de la plebe, por muy razonables que fuesen.

—¡No les dejan despedirse de mí, no les dejan despedirse del señor de la casa! —Estaba vuelto hacia afuera, de bruces sobre el alféizar—. ¡No les peguen, no les peguen! —gritaba ahora a los cuidadores, que estaban a punto de llegar a la explanada, tras Dumbo y Corbata—. ¡No les peguen! ¡No les hagan daño!

Unos cuidadores chascaban sus látigos. Otros disparaban al aire sus escopetas. Atronaban el aire el motor del todoterreno y las blasfemias.

—¡No les hagan daño! ¡Si no han hecho nada malo!

—¡Elefante, cabrón!

—¡Hija puta, jirafa!

—¡Dumbo es buenísimo! ¡Y Corbata, más tranquila todavía! ¡Es mudita! ¡Es mudita!

La incontenible desesperación del marqués de Trespasos alarmó al criado Basilio, que suspendió su tarea y fue hacia los ventanales.

—¡Dejen que se acerquen! —vociferaba inúltimente David, con lágrimas en los ojos, a los cuidadores que con el todoterreno, los látigos, las escopetas habían hecho un agresivo cerco alrededor de los animales— ¡Dejen que se acerquen! ¡Vienen a despedirse! ¡A despedirse!

El criado, ya decidido, se acercó a su señor, le tomó de un brazo.

—Señor marqués... Señor marqués...

David se volvió a escucharle, sin saber bien lo que hacía, perdido ya el control de sí mismo.

—¿Qué quieres, Basilio? ¿Qué puedes querer ahora? ¡No me interrumpas! ¡Voy a despedirme de Dumbo y de Corbata! —se volvió hacia los cuidadores—. ¡Déjenles que se acerquen!

—No grite más el señor marqués —aconsejó, prudentemente, Basilio—, que van a encerrarle también. Esos no se andan con chiquitas. Si no, no podrían tratar a las fieras.

Pero su amo, David Trespasos, no le escuchaba y de nuevo se volcó hacia afuera.

—¡Adiós, Dumbo!

En un último esfuerzo, el elefante alzó la trompa y abrió la bocaza, dentro ya del contenedor que en este momento arrancaba con estrépito, saludando por última vez a su amigo humano. Corbata, enganchada por una cuerda a su largo cuello, se dejaba conducir pacíficamente, pero con la cabeza vuelta hacia los ventanales del gabinete y alcoba, no hacia la selva artificial ni hacia la carretera.

—¡Me has acompañado mucho, de verdad! —gritaba, suplicante, el marqués—. ¡Muchísimo, Dumbo! ¡Y tú también, Corbata! ¡Habéis sido muy buenos compañeros! ¿Por qué me los quitan?

Ya del campo no llega más que silencio. No se oye ruido de motores, ni pitidos, ni disparos, ni latigazos, ni blasfemias de los cuidadores. El marqués deja su puesto en el ventanal y entra en el gabinete. Cierra el ventanal y Basilio corre a cerrar el otro. El marqués de Trespasos se deja caer en una butaca, invadido por un llanto senil, que el criado respeta con su silencio. Antes de decir nada, ni siquiera una palabra de consuelo, aguarda a que el llanto ceda y su señor diga algo, a que recupere la dignidad que el llanto incontenible, casi infantil, le hace perder en parte. No es fácil entender lo primero que balbucea el marqués; le parece entender a Basilio que aquellos meses de trato con los dos animales es lo mejor que ha tenido en su vida. Y ya Basilio se atreve a decir en voz muy baja, sin ánimo de controversia, que nunca se la permitiría con su señor, sino por si puede servirle de alivio, que la decisión de las autoridades le parece justa. En el otro zoológico un tigre se había comido a un turista. Una aristócrata en uno, un turista en otro... Era necesario reconocer que existían motivos más que suficientes para la prohibición. Era irremediable. A lo mejor dentro de un año o dos volvían a autorizar los parques de «fieras en libertad», pero de momento Basilio creía que la opinión pública estaba de acuerdo con la prohibición. Eso podía deducirse por los comentarios del bar de Veredilla. Por otro lado, quizás al marqués le convenía alejarse de Trespasos, porque si a eso se sumaba ese otro asunto tan raro del que él no entendía nada...

Al tiempo que se sonaba los mocos y se enjugaba las lágrimas preguntó el marqués:

—¿Lo del blanqueo del dinero?

—Sí, eso. A eso me refiero. No quiero entenderlo, ¿eh, señor marqués? A mí que no me líen.

—Nadie iba a liarte a ti aunque lo entendieras, Basilio. Pero conste que yo tampoco lo entiendo. Eso no es de mi tiempo. El especialista ha resultado ser mi hijo menor.

El anciano aristócrata, aunque chorretones de lágrimas ensuciaban sus mejillas, se había repuesto de su ataque de llanto y se permitió una mueca irónica al mencionar a su hijo.

—El señorito Antonio —precisó Basilio.

—Sí, el señorito Antonio.

—¿Y al señor marqués no le ocurrirá nada?

Alzó los ojos David hacia su criado y en él creyó

advertir sólo sinceridad y temor, temor porque pudiera ocurrirle algo al marqués, a su señor. Confirmaba nuevamente David que aquel hombre era un vocacional de la servidumbre, de los que ya tan poquísimos ejemplares quedaban.

—Nada, Basilio, no te preocupes por mí. No me ocurrirá nada; me lo ha asegurado Requena, el abogado. Pero ha habido que remover Roma con Santiago para dejarme al margen. Ahora, una vez solucionado todo, no sé si de la mejor o de la peor manera posible, el banco venderá Trespasos, que, afortunadamente, por suerte para todos, ya no es monumento...

—Sí, lo leí en el periódico.

—Se levantarán los embargos, se pagarán las hipotecas y a mí me quedarán unas caspas para esperar la muerte.

Basilio tocó madera y pidió con repente femenil en la posturita y en la voz:

—No diga eso, señor marqués.

—¿Te da miedo?

Tardó un instante en contestar Basilio y el marqués insistió:

—¿A tu edad te da miedo hablar de la muerte? Eso es cosa de chiquillos.

—Pues fíjese usted lo que son las cosas, no le tengo miedo a la muerte, de verdad; pero en cambio me echo a temblar cuando pienso en la agonía. En los dolores que muchas veces produce. Asistí a la muerte de mi madre y fue algo terrible, espantoso... Los dolores le hacían gritar casi constantemente y a veces se empinaba tanto en la cama que entre tres personas no podíamos hacerla tumbarse de nuevo. Era lo contrario de lo que se ve en las películas, ¿sabe el señor marqués?

El marqués había procurado siempre no ver agonizar a nadie, ni a sus familiares más directos. Había visto muertes en el frente, pero sólo tres o cuatro, y aquello era muy distinto, si alguien agonizaba había que seguir corriendo, hacia adelante o hacia atrás, según la orden del mando, y hacía tantísimo tiempo...

195

—Creo que a mí me ocurre lo mismo —dijo, al parecer ya completamente sereno—. La muerte, al fin y al cabo... ¿Sabías tú, Basilio, que algunos dioses griegos consideraban la inmortalidad como una desgracia, como el más grave inconveniente de sus cargos?

—No, señor marqués, no lo sabía.

Recitó el aristócrata, evocador; evocador de lecturas de su lejanísima juventud:

—«La pena de los dioses es no encontrar la muerte.» Y ahora, ya ves, llevan veinte siglos muertos y nadie los echa de menos.

—Lo que son las cosas.

—Y lo de ser viejo, ¿qué te parece?

—Pues... ¿qué quiere usted que le diga? Ser viejo es una lata, de eso no cabe la menor duda. Pero haber llegado a viejo tiene algo de mérito, ¿no?

—Sí, puede que tenga algo. Hay quienes derrochan la vida tontamente y por eso se acaban en plena madurez.

—¿Sabe usted lo que yo pienso, señor marqués, si no toma a mal que le exponga mis reflexiones?

—No lo tomo a mal. Dime.

—Que la vejez es una desgracia, en eso casi todo el mundo está de acuerdo. Pero una desgracia muy rara, porque nos llega sólo a los que hemos tenido mucha suerte.

—Tienes razón, Basilio —confirmó el marqués, sin ocultar su asombro—. Es un pensamiento muy ingenioso, de verdad, muy ingenioso.

—Perdone el señor marqués —se disculpó el criado con una leve inclinación. Y tras una pequeña pausa, cambió de tema—: Y dígame, ¿los del banco construirán aquí casas para obreros?

—Sí, con una espléndida subvención del Ministerio de Asuntos Sociales aquí se levantará la «Gran Urbanización Pablo Iglesias». La pobre Eulalia ya no podrá echarse a llorar. Dos mil viviendas unifamiliares adosadas, campo de fútbol, varias piscinas, campos de baloncesto, pistas de tenis, campo de golf...

—¿Todo eso para los obreros?

—Sí, Basilio.

—Pues no está mal. Vamos, me parece a mí. No sé lo que pensará el señor marqués.

—Está muy bien, eso es lo que pienso. Luego los obreros, en cuanto se lo permitan, venderán sus casas a unos ejecutivos, ganando un montón de dinero. Y los ejecutivos se las venderán poco después a unos alemanes o a unos japoneses; sabe Dios a quién, dentro de unos años. Ahora ya se empieza a oír que los pieles rojas vienen empujando.

Melancólicamente, reconoció Basilio:

—Tiene razón el señor marqués.

De repente David ordenó, porque acababa de escuchar algo:

—¡Calla, Basilio! Escucha...

Suspendió lo que estaba haciendo, meter en una de las maletas unos pantalones veraniegos del marqués. Se quedaron los dos en silencio y volvió a escucharse el ruido de la cisterna descompuesta.

—¿Oyes? ¿Oyes ese ruido? Escucha, escucha bien... Ha vuelto a estropearse la cisterna —dijo; y después se encogió de hombros—. Aunque la verdad es que ahora ya... A mí me tiene sin cuidado. Poca mierda se va a amontonar ahí.

* * *

En el despacho del secretario de la Residencia para la Tercera Edad Monflorido, don Emeterio Escobar había marcado el número del palacio de Trespasos y durante un instante aguardó la respuesta a su llamada.

—¿El palacio de Trespasos?

Le respondió la voz de Basilio.

—Sí, aquí es el palacio de los marqueses de Trespasos. ¿Con quién hablo?

En la breve pausa de Basilio para aguardar la respuesta, David también se dispuso a escuchar con interés. Don Emeterio se dio a conocer.

—Ah, ¿es usted, señor Escobar?

—¿Hablo con el señor don Basilio Calle?

—Sí, con Basilio Calle... Dígame, dígame, señor Escobar...

A partir de ahí David no pescó más que palabras sueltas, frases inconexas. Basilio afirmaba, negaba, asentía, comprendía... Sí claro... Es natural... Entendido... Sintió el marqués que el rubor teñía sus mejillas. ¿Cómo se había atrevido él, un Trespasos, a dar ese paso, ese cuarto paso, podría decir, tan alejado de lo que, al fin y al cabo, significaba, real o simbólicamente, su sangre? Y una vez dado el cuarto paso, ¿por qué no se atrevía a ser el primer aristócrata que solicitase puesto en aquella residencia? ¿Por no verse en la circunstancia de alternar cualquier día, de igual a igual, con un obrero, con un criado? Sí, quizás por eso. Lo mismo podía haberle ocurrido aunque hubiera otro aristócrata en la residencia, pero en este caso la situación ya no sería tan violenta. Mal de dos, consuelo de uno. Pero por más que razonaba no desaparecía el rubor de su rostro. Se había comportado mal, no podía negarlo. Se había comportado mal con su estirpe. Comprendía que el tal secretario señor Escobar estaba asegurando a Basilio que no había ningún aristócrata entre los cuatrocientos residentes. Músicos, sí; y pintores; y médicos y abogados y catedráticos de universidad, porque era una residencia de lujo, pero aristócratas, seguro que ni uno.

—Muchas gracias por haber llamado —decía Basilio—. Hasta mañana, señor Escobar, ahí estaré. Sí, sí, con mis pertenencias. Buenos días, señor Escobar.

Colgó el microrreceptor Basilio y no llevó la mirada hacia su señor. Éste preguntó, sin que el tono de su voz ni su mirada reflejasen ninguna esperanza.

—¿El secretario de la residencia?

—Sí, señor marqués.

—¿Qué te ha dicho?

—Que no..., que hasta ahora, entre los residentes no hay ningún aristócrata.

—Claro —aceptó, compresivamente, el anciano marqués de Trespasos; y fue hacia el órgano eléctrico—. Habrá que llamar un taxi, Basilio.

—No es necesario, señor marqués. Ya quedé ayer con Marcelino, el de Veredilla, en que viniera hoy por la mañana, a las once y cuarto.

—Muy bien, Basilio.

Empezó a tocar el «largo» de Haendel. Se interrumpió un momento para volverse hacia el criado.

—Habrá que avisar a la estafeta de correos de Veredilla para que envíen la correspondencia a casa de mi hermana.

—Ya lo he hecho, señor marqués.

Volvió David a tocar, pero la música se oía cada vez menos. Se oía cada vez menos en el interior de la cabeza de don David, marqués de Trespasos. En cambio, allí dentro, en su cerebro, iba subiendo el volumen del ruido de la cisterna descompuesta. Cuando llegó a oír la cisterna más que el órgano, el anciano marqués dio una patada al órgano y volvió a abandonarse a su llanto senil.